나한테만 머물고 싶지 않은 이야기

나한테만
머물고 싶지 않은 이야기

거북이

예림

임수경

이가흔

김승준

소양

아름한

서대웅

핸우

겸

추천의 말

10개의 이야기가 있습니다. 어떤 이야기는 '기획자'라는 자신의 직업과 소명의식에 대한 치열한 성찰을 담은 이야기이고, 어떤 이야기는 온 마음을 다해 자신의 주변 관계를 톺고 다시 초점을 자기 자신에 맞춰 '싸움짱'을 꿈꾸는 이야기입니다. 또 어떤 이야기는 우유의 달짝지근하고 고소한 맛과 시리얼의 짭조름한 맛이 연상되는 풋풋한 사랑 이야기이고, 어떤 이야기는 까만 밤 속에서 작은 하얀 별빛을 발견하기 위해 끊임없이 자신의 하늘을 둘러본 이야기입니다.

무턱대고 오로라를 보기 위해 홀로 스웨덴까지 떠났지만 조난당한 이야기. (안심하셔도 될 것이 작가는 일단 살아있습니다.) ADHD에 진단받은 날부터 꽂힌 ADHD. 그 후부터 ADHD를 탐구하고 공부하는 과정에서 자신의 고유함을 찾은 이야기. 10년 차 문화예술 블로거가 자신이 가장 사랑하는 문화예술 일곱 가지를 담은 이야기. 브랜딩과 기획에 대한 애정이 가득 담긴 20년 차 기획자의 인사이트 넘치는 브랜딩 이야기. 자신의 경험을 바탕으로 사회 갈등에 대한 날카롭고 예민한 감각을 드러낸 이야기. 인생사를 하나의 '성'으로 비유하여 어떻게 하면 자신의 성을 견고하고 탄탄하게 이룰 수 있을까에 대한 고찰을 담은 이야기까지.

서로 다른 이야기 10개에서 찾아볼 수 있는 공통점은, '자신이 가장하고 싶은 얘기'라는 것입니다. '어떤 글을 쓸까?' 라는 질문을 달리하면, '나는 어떤 것을 중요하게 생각할까?', 내시 '내 마음속에서 가장 오랫동안 머물었던 이야기는 무엇일까?' 정도가 되겠습니다. 그러니까, 이 책 속에 담긴 모든 이야기는 작가 자신들이 생각하기에 굳이 굳이 용기내어 책으로까지 낼 정도로 중요한 얘기라는 것입니다. 이제부터 읽으시는 독자분들은 누군가의 가장 중요한 이야기를 듣고 계시는 겁니다.

— **이창현** 고유출판사 대표

추천의 말

시간을 따돌린 것 같았어요. 책을 읽는다는 느낌이 안 들었거든요. 쫓기는 마음이 사라지니 심심해졌어요. 이럴 때 좋아하는 친구를 찾았어요. 그날의 숙제를 다 하기만 하면 놀 수 있는 아이였을 때, 쉬는 시간이나 점심시간만 기다리는 청소년이었을 때, 욕심만큼 해내기 어려워 울고 마는 갑자기 성인이었을 때요. 그에게 의지하면 어느새 한참을 훌쩍 보낼 수 있었거든요. 덕분에 혼자서는 생각하지 못한 곳으로 일상이 흘러갔어요. 세상이 불쑥 넓어졌어요.

그때 그 마음으로 여기 모인 이야기 속을 한참 뛰어다녔어요. 힘든 줄도 모르고 일부러 더 그랬어요. 이어달리기처럼 한 사람이 다음 사람에게 저를 바통처럼 건네주었어요. 마지막 장을 덮고도 미소가 멈추지 않아서요. 왜 웃고 있냐고 묻는 현실의 누군가에게 일부를 읽어주었어요. 미소가 번지는 것이었나. 서로 닮는 것이었나. 확인하고 싶어서 다른 누군가에게 또 읽어주었어요.

이런 책을 읽어야 한다고 믿어요. 읽으면서 노동하는 느낌이 안 드니까요. 다 읽고 난 뒤에 그런 이야기가 있었나 싶어서 다시 뒤적여보고 싶을 만큼 가볍고 신비로우니까요.

— 박정원 작가

일러두기

책 집필에 참여한 작가 대부분은 자신의 글을 처음 세상으로 내보입니다. 출판사는 작가들의 원고에 큰 오탈자와 비문 정도에만 개입하였고, 그 외에는 자신의 문장이 그대로 세상에 나오는 즐거움을 느낄 수 있도록 개입하지 않았습니다.

일하면서 '고유함'을 더하는 자아에 대한 이야기

거북이

- EP 01. 감정노동 기획자가 자신을 지키는 법
- EP 02. 나약하다, 취약하다는 말이 꼭 나쁜 의미여야 하나?
- EP 03. 나의 섬세한 자아를 사랑한다
- EP 04. 쉴 때도 읽고 쓰는 몹쓸 기획자

EP 01. 감정노동 기획자가 자신을 지키는 법

3주 전부터 도서 인플루언서 코유님이 운영하는 오프라인 책 쓰기 프로젝트에 참여하고 있다. 약 7주간 글을 쓰고 난 다음 함께 쓰는 동료와 책을 출간하는 취지를 갖고 있다. 10명의 동료가 모여 자유로운 주제로 글을 쓴다. 이곳에서는 다양한 개인의 글이 만나고, 긍정적인 영감이 교환된다. 프로젝트에서 이뤄지는 일련의 모든 과정에 함께 쓰는 동료로부터 따뜻하게 인정받고, 동료의 글에 신선한 자극을 느낀다. 세상에 노래 잘하는 사람이 많듯 역시나 글 '잘' 쓰는 사람도 많다는 걸 알게 되는 요즘이다.

직업과 관련된 이야기

나는 이 공간에서 내 직업에 대한 이야기를 써 보기로 했다. 브런치는 개인적인 이야기를 토해내는 공간이었다면, 고유 책 쓰기 프로젝트에서는 나의 직업인 '기획자' 에 관해 이야기하고 싶었다. 개인적인 이야기를 할 때면, 예를 들어 아내와의 소소한 에피소드, 문화생활 등 나만의 고유한 이야기를 써 내려가는 데 어려움이 크게 느껴지지 않았다. 하지만, 꼭 직업에 대해서 이야기할 때 만큼은 나만의 '서사' 를 써 내려가기 어려웠다. 늘 오피스에서 일어난 이야기는 두루뭉술했고, 나를 대변하지 않는 이야기인 걸 스스로가 쉽게 알아차릴 수 있었다.

그래서 이번 기회에 글을 쓰면서, 일하는 나와 조금 더 가까워지고 싶었다. 현생에 가장 많은 고생을 맡아서 하는 일하는 '나' 를 보살펴 달래수고, 수고한다고 어깨를 토닥여 주고 싶었다. 나는 사실 늘 '일하는 자아' 의 상태를 외면했었다. 일만 생각하면 머릿속에 스트레스가 먼저 다가왔기 때문이다. 그래서 일하는 자아를 유리병에 덮어두고 묵혀두었다. 그랬더니 일하는 자아와 나의 간극은 점차 멀어져만 갔다. 언젠가부터 일이 나의 일상을 단단하게 유지해 주는 수단이 아니라, 나를 우울하게 하는 좀먹은 병처럼 느껴졌다.

내가 힘들어서 이제 이 자아를 유리병 속에 꺼내 해방시키려 한다. 생각하면 피곤해지지만, 언젠가 직면하고 싶었던 나의 일하는 자아에게 '이만하면 괜찮은 기획자라고 토닥여 주고 싶다.' 바로 이것이 내가 앞으로 직업에 대한 이야기를 써 내려가는 이유다.

기획자라는 직업에 대한 이야기

먼저, '기획자'라는 직업에 대해 모르는 분들이 많을 것이라 예상된다. 내가 하는 광고 마케팅 필드에서의 기획자는 남들이 머리 써서 하기 어렵거나 때로는 여유가 없어서 광고 만들기가 힘들 때, 그 일을 대신해 주는 역할을 한다. 이때 일을 의뢰하는 광고주라는 자리가 있고, 일을 받아서 대신 행하는(대행) 기획자라는 자리가 있다. 세상에 많은 유형의 기획자가 있겠지만, 지금은 내가 하는 일 '대행'의 관점에서의 기획자 만을 소개하고자 한다.

내가 속해 있는 광고대행사에서 주로 의뢰받는 일은 디지털 마케팅이다. 과거의 디지털 광고의 범위가 TV 브라운관에 제한되었다면, 현대에 와서는 그 범위가 홈페이지, SNS, 뉴스레터 등으로 종류가 다양화되었다. 광고주는 디지털 마케팅을 할 수 있는 플랫폼에서 어떻게 하면 자신들의 콘텐츠가 돋보일 수 있을지에 대한 고민이 있어 우리에게 일을 의뢰한다. 고객에게 닿기 위한 광고를 만들어 내고 싶은 '니즈'라 볼 수 있다.

기획자의 일 첫 번째 단계, '제안서 쓰기'

광고주가 일을 의뢰하는 순간부터 일이 시작된다. 일의 첫 번째 단계는 제안서를 쓰는 단계이다. 무수히 많은 대행사가 광고주가 제시한 일을 수주하기 위해 경쟁 PT(Presentation)를 준비한다. 이때 발표를 위해 잘 만들어진 기획안이 필요하다. 제안서는 브랜드가 처해 있는 환경에 관해 공부하고 알아가는 환경분석, 브랜드가 처한 환경 내에 적합한 커뮤니케이션 전략, 마지막으로 어떤 메시지를 담은 소재를 만들어 낼 것인지에 대한 내용으로 구성된다. 쉽게 말해 제안서는 '1년 동안 어떻게 플랫폼 내에서 많은 사람들의 선택을 받는 콘텐츠를 만들어 낼지'에 대한 내용을 서술하고 있다. 1년 동안 진행하게 되는 과업의 모든 내용을 다뤄야 해서 쓰는 범위가 무척 광범위하다. 100페이지 정도 되는 분량을 2~3주 내 마무리 지어야 한다.

기획안에서 기획자가 어필해야 할 내용은 '남들이 볼 수 없는 이야기를 하는 우리 회사는 똑똑하다' 이다. 시장의 흐름을 적확하게 읽어내야 하고, 크리에이티브를 담은 카피와 화려한 비주얼로 광고주의 마음을 사로잡아야 한다. 공공기관 사업을 기준으로 한 사업을 수주하기 위해 참여하는 사업체가 많게는 30개 정도 까지 된다. 기획자는 무한 경쟁 시대에서 늘 돋보이는 기획안을 준비해야 하므로 밤낮 가리지 않고 자신과의 사투를 벌이게 된다.

사실 나는 제안서를 써야 하는 이 기간을 그리 좋아하진 않는다. 떠오르지 않는 허공에서 떠도는 생각을 캐치해야만 하고 뇌를 짜내어야 하기 때문이다. 그리고 이 생각을 그림과 글자로 가시적으로 표현해야 하기에 인고의 시간이 필연적으로 수반한다. 한편으로는 양심의 가책도 느끼게 된다. '우리가 지금 쓰고 있는 아이디어는 정말로 실현 가능할까?' '제안서 대로만 사업을 운영 한다면, 브랜드는 사람들의 선택을 받게 될 수 있을까?' 잡다한 생각의 최종 종착지는 '우리가 디지털 마케팅 전문가라 할 수 있는가?' 까지 이르게 된다. 부인할 수 없는 사실은 우리가 하는 일에 어느 정도의 과장이 존재한다는 것이다. 혹자는 우리를 사기꾼이라 부르기까지 한다.

기획자의 일 두 번째 단계, '실행하기'

일의 두 번째 단계는 '실행하기' 이다. 새로운 사업을 수주에 성공하면, 장황하게 설명했던 제안서 내의 아이디어를 실천하기 위한 실행안을 세우게 된다. 어떤 메시지를 담은 콘텐츠를 어떻게 만들 것인지에 대한 구체적인 실행계획을 세워 광고주와 논의하는 과정을 거친다. 이 단계부터 광고주와 기획자 간의 합이 중요하다. 기획자는 광고주가 무엇을 원하고 있는지 빠르게 캐치해서 목적에 다를 수 있는 최적의 방향을 제시해 주어야만 한다.

2단계에서 많은 기획자의 고충이 있다. 광고주가 한 사업에서 무엇을 하고 싶은

지 또는 기대하는지가 잘 읽히지 않는다거나 함께 일하는 사람에 대한 배려와 공감이 떨어질 때, 기획자는 소통이 불가능한 현실을 직면하게 된다. '어디 말 통하는 상식 있는 사람 없나?' 비상식이 상식처럼 통하게 될 때, 갑과 을의 관계가 명확히 나누어져 있는 이 관계에서 기획자는 광고주의 무리한 요청에 대해 화를 자기 내면으로 삭힌 채 그 혹은 그녀의 마음대로 일을 진행해야 한다(개인적으로 좋아하는 단어는 아니지만 대행업에 종사하는 기획자는 광고주를 광고 '주님' 이라고 부르기까지 한다). 한 팀이라면 기분 좋게 광고주를 위해 일을 실행할 수 있지만, 이 경우엔 광고주는 대행사의 공공의 적으로 남게 되어 증오의 대상이 되기도 한다.

기획자의 일 세 번째 단계, '결과보고'

마지막 3단계는 프로젝트 결과에 대한 결과보고의 단계이다. 진행한 사업에 대한 성과를 광고주에게 보고한다. 조회, 노출, 참여수가 몇 회를 기록하였는지, 그리고 프로젝트에서 의미 있는 해석은 무엇이 있었는지를 상세히 보고해야 한다. 결과보고는 배정된 예산 내에서 최대한 많은 일을 했음과 동시에 사업이 기관에 단기 장기적으로 무엇을 의미하는지 명확히 표현해 주어야 한다. 그래야만 클라이언트 담당자와 마케팅 대행사는 '일 잘한다' 는 소리를 들으며 인정받을 수 있다. 사업이 잘 마무리되면, 광고주 담당자의 추천으로 기관 혹은 브랜드의 다른 일이 들어오기도 한다.

앞서 이야기 했듯이 내가 하는 광고 대행사 기획자의 일은 크게 제안-운영-결과보고 이렇게 3단계로 나뉜다. 3단계와 내가 하는 일을 한 문장으로 정의하자면, 나는 '방향을 제시하고, 실행하는 일' 을 하고 있다고 설명할 수 있다. 브랜드가 고유의 메시지를 담은 광고를 만들어 낼 수 있도록 최적의 방향을 제시한다. 그리고 그 방향대로 일이 실행될 수 있도록 설득한다. 이 과정에서 무수히 많은 제안과 설득, 실행이 반복된다. 사람 간의 관계 속에 이뤄지는 일이 많아 일이 감정적으로 다가오게 되는 경우가 많다. 내면의 분노를 삭이거나 일이 아닌 다른 곳에서 억눌러진 감정을 표출한다. 이 일은 정신적으로 지속하기 쉽지 않은 일이다. 그럼에도 프로젝트가 마침표를 찍었을 때 주는 쾌감과 해방감이 있다. 이것은 포트폴리오가 되어 기획자에게 경험이라는 자산으로 남게 된다. 공허해진 나에게 공명하여 울리는 '보람' 이라는 감정을 주기에 기획 일은 내 삶에서 끊어내고 싶어도 끊어낼 수 없는 이유가 되기도 한다.

기획일은 분명한 명과 암이 존재하고, 온갖 흔들어 대는 외부 환경에 영향을 많이 받는 직업이다. 여러 가지 환경이 자신을 흔들어 댄다면, 파동을 고요하게 만들게 하는 내면의 흔들리지 않는 '자아' 가 기획자에게는 필요하다. 일에 너무나 많은 신경과 에너지를 쏟고 현업에 치여 살아가다 보면, 자칫 수많은 자아를 잡고 있는 밧줄을 놓치게 되는 경험을 하기도 한다. 그럴 때 기획자에게는 다시 놓았던 밧줄을 힘껏 끌어당길 용기가 필요하다. 나는 자신을 형성하는 수많은 정체성을 소중하게 지켜나가야 일하는 자신도 소중하게 대할 수 있다고 생각한다. '이 글을 읽고 있는 당신과 나는 어떤 자아를 가지고 있을까?' 나는 앞으로 이 책에서 '기획자의 자아' 에 대해 이야기해 보고자 한다.

EP 02. 나약하다, 취약하다는 말이 꼭 나쁜 의미여야 하나?

나는 자신이 '취약하다' 는 것을 잘 알고 있는 '자아' 를 갖고 있다. 사람이 '취약하다' 고 말하면 그 사람에게는 어딘가 단점이 많고, 약해 보인다는 것을 의미할 수 있다. 사회에서 '취약하다' 는 표현은 이처럼 부정적인 의미를 내포하고 있고, 사람들은 취약해 보이는 자에게 변하라며 질타하기까지 한다. 나처럼 내성적이고 생각이 많은 사람에게 변하라고 하는 것은 존재 자체를 부정하는 가스라이팅이다. 취약한 내가 변할 수 없다면, 나는 '취약함' 을 나의 자아인 것으로 판단하기로 결정했다. 그리고 취약한 자아를 한 번이라도 더 살펴 예쁘게 바라보고 쓰다듬어 주기로 마음먹었다.

나는 변동적인 상황에 멘탈이 심하게 무너지곤 했다. 내면 상태에 취약함을 가지고 있었던 것이다. 하지만 '취약하다'는 특성을 한 사람에게 나쁜 것이라고만 단정 지어야 할까? 나의 답변은 '아니다'이다. 나의 취약한 자아는 실패의 상황에 자신을 노출하고, 그 상황에서 고쳐야 할 점은 무엇인지 지속해서 바라볼 수 있기 때문이다. 실패한 상황에서 나는 '실패한 나'의 존재를 거부하기 보다 실패를 고스란히 받아들이려 노력한다. 이 자아는 실패의 상황에서 내가 취약한 점이 무엇이었는지 진심으로 탐구하고 고치고자 하는 욕망이 강하다. 그래서 이 자아 덕분에 궁극적으로 나는 강해지고 있다.

일에 있어 취약한 부분

기획자의 업무에서 나의 취약점은 커뮤니케이션(소통)이었다. 부끄럽지만 고백하자면, 나는 다른 사람과 소통할 때 상대의 입장을 잘 고려하지 않고 나의 유리함만을 취하려 노력했다. 그러다 보니 함께 일하고 있는 사람들과의 마찰이 종종 발생하곤 했다. 취약한 자아는 나의 실패에서 원인을 찾기 시작했다. 나는 무엇이 문제였을까?

광고주와 소통에서의 실패

2022년은 근래 업무적으로 가장 많은 시행착오를 겪었던 시기였다. 공공기관 디지털 마케팅 프로젝트 매니저로 SNS 플랫폼에서 콘텐츠를 만들어 내는 일을 하고, 기관을 홍보하는 서포터즈를 모집해서 연간활동을 기획, 운영하고 있었다. 지금 기억하기론 당시 나는 데드라인을 지키는 것에 대한 압박감과 스트레스를 심하게 겪고 있었다. 매주 2~3개의 콘텐츠를 꾸준한 호흡으로 만들어 내고, 매달 오프라인 행사를 기획해야 했다. 콘텐츠 공장을 돌려 애써 결과물을 만들어 가면, 광고주는 어미나 조사 하나하나까지 아주 세세한 내용에 대한 수정 피드백을 주었고, 예산과 시간 내 진행하기 어려운 영상 편집 효과의 변경을 요구했다. 데드라인(약속)을 지키기 위해 나는 작업자가 일을 수행할 수 있도록 그들의 고된 감정을 어르고 달래야만 했다.

이런 일련의 과정에서 이 직업에 대한 회의감이 들었다. '도대체 광고 대행사 기획자는 무얼 만드는 사람일까?', '그저 광고주가 시키는 대로 움직여야 하는 사람인가?', '우리가 광고주를 설득하는 것은 가능한 것일까?' 그리고 그날 웅크려 있던 나의 스트레스는 결국 폭발하게 되었다. 그날은 모 기관의 장관이 미국의 고위 관료를 만나는 영상을 다급하게 마무리 지어야만 하는 날이었다(하루 만에 영상을 기획하고 편집을 마무리 짓는 일정). 광고주 담당자는 급박한 일정으로 마음이 초조했고, 아침, 점심, 저녁 동안 하루 종일 나에게 연락을 취했다. 한마디로 나는 그에게 '쪼임'을 받고 있었다.

일정을 서둘러 몇 시간 만에 영상을 만들었지만, 급조하여 만들어 낸 영상이 예쁘게 나올 리 없었다. 기관의 국장이 핸드폰으로 막 찍은 즉흥적인 영상을 짜기워 편집해야 했고, 앞뒤 맥락이 전혀 맞지 않는 영상의 클립을 보기 좋게 만드는 것을 짧은 시간에 마무리 지어야 했기 때문이다. 시간이 없었기에 완성도가 높지 않은 초안을 광고주에게 전달했다. 그리고 몇 시간이 지나지 않아 카톡으로 빼곡히 수정 피드백을 받았다.

어딜 봐도 예능처럼 나올 수 없는 와우 포인트나 웃음 포인트가 부족한 영상이었다. 하지만, 광고주의 요청에는 재미없는 영상을 재미있어 보이게 만져 달라는 피드백이 주를 이뤘다. 순간 축구 선수 기성용의 어록이 떠올랐다 '답답하면 네가 해보던지?' 시간이 얼마 지나지 않아 전화기가 울렸다. 광고주 담당자의 전화였다. 국장이나 내부 피드백이 더 있었는지 추가적인 수정 내용을 전화로 토해냈다. 그리고, 담당자는 마지막으로 "오늘 언제까지 완료될까요?" 질문을 던졌다. 그간 쌓였던 울분이 터져 나왔다. 나는 좋지 않은 감정을 억누르는 데 실패했다. "이걸 당장 마무리 지으라고 말씀하시면, 너무 무리한 요청 아닌가요?!" 심장이 콩닥콩닥 뛰었다. 주변에 같이 일하던 동료들도 있었는데 나는 아랑곳 하지 않고 나의 좋지 않은 감정을 지속해서 드러내었다.

광고주는 나의 리액션에 적잖이 당황했는지 본인의 급한 감정에 꼬리를 살짝 내려주었다.

“급하게 요청해 죄송해요. 이번 건만 잘 끝내면 앞으로는 괜찮아질 거예요” 지금 생각하면 정말 어리석고 거만한 마음이지만, 당시 나는 ‘내가 이겼어’ 라는 심리적 쾌감을 살짝 맛보았다. 하지만, 이상한 게 화를 표출했는데도 내 기분은 좀처럼 나아지지 않았다. 신경질적인 기분이 종일 이어짐과 동시에 감정을 지혜롭게 컨트롤하지 못했다는 자책과 아쉬움이 몰려왔다. 그렇게 영상의 수정은 이삼일 동안 더 지속되었고, 7~8차 넘는 수정의 과정을 반복했다. 그리고 드디어 우당탕 기획이 일단락 마무리됐다.

나는 이 경험에서 커뮤니케이션의 실패를 완전히 받아들여야 했다. 커뮤니케이션에서 좋지 않은 감정이 묻어 나왔기에 광고주 담당자와 영상 작업자에게 내 감정이 고스란히 스며 들었을 것이다. 물론 그들의 위태하고 다급하고 짜증나는 감정도 나에게 스며든 것은 사실이다. 하지만, 나의 커뮤니케이션은 이들과 달라야만 했다. 일을 함에 있어 나의 역할은 하기 어려운 일을 되게하는 ‘컨트롤 타워’ 이기 때문이다. 한 사업에서 기획자를 통해 많은 일이 거쳐간다. 기획자는 커뮤니케이션의 중심부에 있다. 그렇기에 이 컨트롤 타워가 흔들린다면, 일에 참여한 모든 사람도 흔들리게 될 수밖에 없다. 외부의 압력 파도가 바다에 홀로 떠 있는 이 컨트롤 타워를 심하게 흔들더라도, 나는 평정심을 찾았어야 했다.

내가 실패하게 된 주요 원인은 무엇이었을까? 나의 취약한 자아는 ‘감정의 몰입’ 에서 실패 원인을 찾았다. 이 실패는 주변의 상황적 변화에 민감한 나의 성격이 특정 상황에 너무 몰입한 나머지 발생하게 된 일이다. 당시 나는 일의 어려움에 대해서 지나치게 몰입했다. 평소 같았으면 될 수 없는 일을 되게 하려고 발버둥 쳤다. 일이 잘못되어 회사나 나에 대한 평가가 좋지 않을까 봐 안절부절못하고 걱정했다. 부정적 상황에 너무 몰입하고 에너지를 쓰다 보니, 커뮤니케이션에 써야 할 에너지는 부족했다. 그래서 내면에 응어리져있던 화를 막아내지 못하고 분출시켰던 것이었다.

이와 비슷한 경험을 한두 번 겪고 나서는 나는 '감정적으로 대처한다고 해서 상황이 나에게 유리하게 흘러가지 않구나' 는 사실을 알게 되었다. 오히려 그 반대에 가까웠다. 성낸 다음 함께 하는 동료는 나를 불편해하거나 신뢰하지 않았다. 배를 흔들리게 하는 선장을 어느 누가 믿고 따라갈 수 있겠는가? 일을 시작할 때부터 '도움이 되는 사람, 신뢰할 수 있는 사람' 이 되고 싶었지만, 나는 내가 되고 싶은 사람의 이미지와는 정반대의 길을 가고 있었다. 나 자신을 창피하고 두렵게 바라 보았다. '너 이대로 독고다이처럼 살아갈 거야?'

내가 일터에서 되었으면 하는 모습을 다시 만들어 가기 위해 영점 조절이 필요했다. '내 감정을 잘 다스려 보자', '다정함을 잃지 않고 소통하자' 마음속에 되뇌다. 나는 한 가지 감정에 몰입하는 것을 포기했고, 내 감정의 위치를 살피는 데 공을 들였다. 극도록 행복하거나, 극도록 고통이 수반하는 상황 혹은 주변부 어딘가에 처해 있는지 감정을 들여다 보았다. 다행히 상황과 상대의 감정에 대해 세심하게 주의를 가지고 살펴 보는 성향을 갖고 있기에, 감정의 위치를 민감하게 알아 차리는 데 큰 어려움이 없었다. 내 감정이 양극 꼭짓점에 위치했을 때, 자신을 경계해 보았다. 그리고 감정의 몰입에서 빠져 나오려 시도했다. 고통의 상황에 처할 때, 잠시 일 밖의 것들에 대해 생각하면 큰 도움이 되었다. 예를들어 '퇴근하고 뭐 먹지?', '공부방 책상은 어떻게 꾸미지?' 이런 잡다한 생각들 말이다. 이런저런 잡다한 생각을 하다보면, 좋지 않은 감정이 점진적으로 상쇄되었다.

내면을 컨트롤하는 과정에서 나는 '감정이 사람의 존재 자체를 정의할 수 없다' 는 것을 깨달을 수 있었다. 그래서 이 감정이 나를 잡아먹지 않게 하도록, 경계 태세를 취하게 되었다. 이제는 어떤 상황이나 누군가의 말로 내가 '힘듦' 에 처했을 때, 일에서 잠시 멀어지는 생각들을 한다. 감정은 찰나의 순간 나를 잠시 장악할 수 있을 뿐이다. 감정이 나의 존재 자체를 정의할 순 없다.

나는 취약하지만, 약하지 않다. 오히려 취약해서 강해질 수 있는 사람이다.

EP 03. 나의 섬세한 자아를 사랑한다

나는 평소에 섬세하고 꼼꼼하다는 이야기를 꽤 많이 듣는 편이다. 찬찬하고 세밀하게 삶을 대하려고 노력하다 보니 '섬세하다'는 말을 많이 듣게 되는 것 같다. '거북이'인 필명도 찬찬히 세상을 보겠다는 의미에서 짓게 되었다. 나를 규정하는 여러 단어가 있겠지만, 나는 이 단어가 참 좋다. 섬세하다는 말속에는 사람이 쉽게 느끼거나 표현하기 어려운 감성이 살아 있는 듯하고, 사람에 대한 존중과 배려에 대한 따뜻함도 보이기 때문이다.

한 해 두 해 시간이 흘러가면서 내 성격은 조금 더 섬세한 방향으로 바뀌고 있다. 이전이었다면 쉽게 느끼기 어려웠을 감정을 느끼곤 한다. 특히 TV 프로그램을 볼 때 출연자에 대한 감정이입이 잘 된다. 아주 눈물샘이 바람 잘 날이 없는데, 나의 섬세한 감성을 건드리는 포인트가 있다. 나는 일을 진심으로 대하는 태도와 그 태도를 누군가 알아봐 주는 인정의 장면에 약하다. 얼마 전 종영한 '스트리트 우먼 파이터2'에서 힙합 크루 레이디 바운스가 댄스배틀 후 아쉽게 탈락했을 때, 댄서 비기는 춤에 대한 진심에 대해 이렇게 표현했다.

비기 | *저는 춤을 너무 좋아해요 진짜로.. 근데 오랜 시간 어떻게 성장해야 하는지 어떻게 연습해야 하는지 어려웠거든요. 스우파에 출연하게 되어 춤을 더 좋아하게 됐어요. 앞으로 더 멋있어질 거예요!*

뒤이은 허니제이의 심사평

허니제이 | *비기야 너 진짜 멋있어졌다. 제가 사실 학생이었을 때 수업을 했었는데, 춤추는데 그 모습이 떠오르면서 아 이 친구가 정말 많은 노력을 했구나 성장을 했구나를 볼 수 있었어요.*

아내와 같이 이 장면을 보고 있었는데 닭똥 같은 눈물이 또르르 흘러나왔다. 아내는 울고 있는 나를 보며, 크게 웃으며 영상을 촬영했지만, 나는 당시 꽤 진지했다. 댄서 비기의 춤과 울먹임 그리고 직업을 대하는 진심 어린 말속에 자기 일에 대한 순수한 마음과 열정이 느껴졌다. 춤을 좋아하는 마음으로 여기까지 달려왔구나.. 꿈을 향해 달려온 그녀의 고난과 행복이 함께 스쳐 지나가 그녀에게 감정이입을 했다. 그리고 그녀의 열정과 노력을 알아봐 준 허니제이 심사위원.. 허니제이의 말 한마디는 많은 고민을 안고 스우파라는 무대까지 달려온 댄서 비기의 고충을 담은 마음을 한방에 달래 주었다. 무언가에 진심으로 열중하고 있을 때 '누군가 나의 고충을 알아봐 주었으면 좋겠다', '나의 진심을 이해해 줬으면 좋겠다'는 생각이 들 때가 있다. 하지만 이 열정을 쉽게 알아봐 주는 사람을 만나기는 어려운 현실이다. 스우파라는 댄서들의 최고 무대에서 과거 그녀의 스승이었던 허니제이는 그녀의 열정을 인정했다. 멋지다고 이야기했다. 그 한마디가 얼마나 그녀의 마음에 위로가 되었을까?

일을 할 때의 섬세한 자아에 대한 이야기

기획자로서 일을 대할 때는 동료와의 관계, 그리고 일 처리에 대해 섬세하게 다가가려고 노력하는 편이다. 후임 직원과 함께 일을 할 때, 그들이 직장에서 존재하는 이유에 대해 인정하는 것에서부터 시작한다. 대부분의 사람이 직장에서 기여하고 이를 인정받기를 원하는데, 이 과정에서 개인이 직장에 존재하는 이유를 찾을 수 있게 된다. 직장에 일하는 모든 동료까지는 아니어도 나와 함께 일 하는 후임 직원이 자신의 가치를 높게 평가하여 보람되게 일을 할 수 있는 친구들이 되었으면 좋겠다.

일 처리에 있어서는 실수를 줄이기 위해 과징에 꼼꼼하게 집중하는 편이다. 일에 대한 전체적인 프로세스를 내가 알아볼 수 있는 정도로 가시적으로 그려 놓고, 처리해야 할 일을 나눌 수 있는 작은 단위로 나눈다. 그런 다음 잘게 나눈 일을 차근차근 마무리하기 위해 과정에 꼼꼼하게 집중한다. 여러 가지 업무 툴을 활용하여 일에 대한 전체적인 흐름을 읽으려 노력하고 동료와 일의 진행과정을 공유한다. 내가 하는 일련의 일 처리 과정을 '일 정리'라고 생각한다. 남들의 눈에는 정리를 위한 정리라는 비효율적인 과정으로 볼 수 있지만, 나는 일에 대한 정리를 지속해서 해야 마음이 편해진다. 정리하게 되면 일을 이해하기 쉽고, 발생 가능성이 있는 문제를 사전에 대비할 수 있게 된다.

섬세하게 감정에 공감하기

동료들이 겪고 있는 어려움에 대한 감정에 섬세하게 감정이입 하려 노력하고 있다. 옆에서 함께 일하다 보면 후임직원이 업무를 마무리하기 위해 애쓰는 과정이 쉽게 보인다. 그렇기에 피드백을 할 때 아쉬운 것보다 고생한 과정에 대해 인정하는 것에서부터 대화를 시작한다. '고생했어요', '고마워요' 처음엔 하기 어려운 말이었다. 하지만, 이제는 편하게 이런 말들을 꺼내고 있다. 직장에서 목적 달성이 가장 중요한 부분인 것을 알고 있지만 경주마처럼 목표만을 바라봐 시야가 좁아지기보다, 동료들과 함께 좀 더 과정에 집중하고 서로의 감정을 어루만지고 보살펴 가고 싶다.

어느 날은 팀의 후임 직원이 내게 면담을 요청한 적이 있다. 동료는 나에게 스스로가 겪고 있는 답답한 마음에 대해 토로했다. 이제 제안서도 많이 써본 것 같은데 실력이 늘지 않고 제자리 걸음 하는 것 같다는 말을 했다. 동료가 조심스럽게 꺼내는 한마디를 듣고 단번에 위로와 공감하는 마음이 필요하다는 것을 알 수 있었다. 그래서 동료가 잘하는 부분을 먼저 짚어주었다. 후임은 누구보다 창의적으로 사고하고 통통 튀는 생각을 하는 감각을 갖춘 동료였다. 나는 이 부분이 제안서의 '킥(Kick)함' 크리에이티브를 높여주고 있음을 설명했다. 사람에게는 자기 자신이 보지 못하는 강점이 꼭 한 가지 이상은 숨어있기 마련이다. 마음이 힘들 때면 더욱 그것이 가시적으로 보이지 않게 된다. 그럴 때면, 움츠러들고 자신감이 없어지기 마련인데, 동료의 움츠러든 마음을 정성스레 그리고 조심스레 펴 주고 싶었다.

나와 함께하는 후임 직원이 스스로 너무 작아지지 않았으면 좋겠다. 과거 나도 비슷한 시행착오를 겪고 아직도 작아지기를 반복하기 때문이다. 직장에서 주니어 직급으로 일을 하다 보면 '팀에 도움이 크게 되지 않는 것 같다', '늘 똑같고 작은 일을 반복하고 있는 것 같다' 는 생각을 많이 하게 된다. 실상은 공동체에 많은 기여를 하고 있음에도 불구하고, 스스로가 작아지는 것이다. 그럴 때 동료의 '힘듦' 을 공감하고 얼러 만져 주는 사람이 되고 싶다. 나의 노력에 대해 상대방이 인정해 주었을 때, 직장에서 서로가 존재하는 이유가 생기게 된다. 동료를 신뢰하고 따뜻함 가운데 일할 수 있게 된다.

일정을 섬세하게 계획하기

일정에 대해 스케줄링할 때에는 프로젝트를 최대한 잘게 썰어본다. 내가 담당했던 SNS 채널 운영을 예로 들어 일을 크게 썰면 콘텐츠 기획, 광고 소재 제작(디자인 및 영상), 사용자 반응 체크 등이 있다. 이 중 콘텐츠 기획 부분을 작게 썰어보면 기관의 이슈 상황 체크, 월간 콘텐츠 캘린더 기획, 자료조사, 광고주 커뮤니케이션 등이 있다. 일을 작은 단위로 썰을 수 있는 만큼 썰어본 뒤, 구글 캘린더에 입력한다. 그런 다음 작게 썰어 낸 일을 마감이 급한 순으로 하나둘씩 처리해 나간다.

일을 잘게 쪼개지 않고 큰 단위로 일을 진행하다 보면, 일의 세부 사항을 놓치기 쉬워진다. 또한 일에 대한 진행 정도를 파악하기 어려워 마음이 막막해지고, 끝나지 않는 숙제를 하고 있는 생각을 가질 수 있다. 한마디로 진도가 더디다. 우리가 학창시절 두꺼운 수학의 정석 책을 굳이 어렵게 쪼개는 이유는 공부의 진척 상황 혹은 완결이 다가옴을 빠르게 느끼고 싶어서이지 않을까 감히 판단해 본다.

워터폴(Waterfall): 목표를 작은 덩어리로 나누어 실행하는 방식

– 일하면서 성장하고 있습니다 p 144 (저: 박소연)

작은 덩어리의 일을 처리하다 보면, 구글 캘린더에서 해야 할 일을 지우는 쾌감이 있다. 상위 목표를 잘게 썰어낸다는 개념은 '세부 실행계획' 을 세우는 것이라 볼 수 있다. 작게 썰어내는 과정에서 당장 무엇을 해야 하는지가 눈에 들어온다. 해야 할 일이 눈에 가시적으로 보이면, 곧장 실행하게 된다. 그렇게 하루하루 조금씩 결과

물을 쌓아 보다 보면, 마감 기한이 다가왔을 때 목표치에 가깝게 도달한 일이 보인다. 그때 게임 할 때 한 퀘스트를 끝낸 것처럼 뿌듯한 감정이 생긴다. 정우성은 잘생겨서 짜릿하지만, 나는 일을 끝내서 짜릿하다.

일을 섬세하게 정리하기

일을 진행할 때는 프로젝트에 대한 전체적인 맥락을 파악하고, 그 과정을 함께 일하는 동료와 나누려고 노력하고 있다. 이 과정에서의 핵심은 '시각화'이다. 나만 이해하기 위해서 하는 정리가 아닌, 함께 이해하기 위한 시각화를 진행한다. 시각화하면 좋은 점이 몇 가지 있다. 우선 시각화는 상대방이 이해하기 쉽도록 일을 설명하는 과정이 되어서 일 자체를 깊게 학습할 수 있는 계기가 될 수 있다. 함께 일하는 동료 또한 시각화 자료를 통해 사업이 진행되는 목적과 방향성에 대해서 공감할 수 있다. 한마디로 시각화는 나와 동료가 일을 능동적으로 공부할 수 있게 이끄는 과정이며, 구성원이 각기 다르게 갖고 있는 프로젝트에 대한 목표를 얼라인 하는 과정이라고도 볼 수 있다.

대시보드는 일을 나누는 것처럼 파트를 구분하여 내용을 정리한다. 내용은 아이디어 서칭, 콘텐츠 기획, 광고 운영 계획, 광고주 전달자료, 미팅 보고 등 다양하다. 사업을 구성하는 틀을 나누어 정리하다 보면, 사업의 시작부터 현재까지 어떤 스토리를 갖고 일이 진행되고 있는지 기록으로 꼼꼼히 남길 수 있게 된다. 일이 기록으로 남게 되면, 우리가 어떤 방향성으로 콘텐츠를 만들어 가고 있는지, 혹은 광고주가 전달한 피드백의 핵심 내용은 무엇인지 등 일을 잘 해결하기 위한 혜안을 얻을 수 있다.

이 과정으로 일에 대해 전체적인 흐름을 읽을 수 있게 되면, 직장에서 조금씩 주체성을 가지고 일을 대할 수 있다. 매일 수많은 업무를 다루다 보면 당면한 일을 처리하느라 일 자체에 매몰되는 경우가 있다. 이 과정에서 당사자는 직장에서 '나의 역할'과, '성장'에 대해 의구심을 품기 마련이다. 만약 그 당사자가 일을 전체적으로 바라보는 시각을 가지고 있다면, 자신을 지키는 데 어느 정도 도움이 될 수 있는 무기를 갖추고 있다고 생각한다. 내가 담당하는 일에 대한 성과나 창조한 콘텐츠의 아카이빙에 대한 기록을 찬찬히 살펴보면, 자신이 많은 일을 해왔고 어떤 기여를 하고 있는지가 눈에 차츰 들어오기 때문이다.

EP 04. 쉴 때도 읽고 쓰는 몹쓸 기획자

나에게 일터를 벗어난 휴식 시간은 자신에 대해 깊게 탐구해 보는 재충전의 시간이다. 나는 쉴 때, 여러 사람을 만나 에너지를 얻는 타입이라기보다 혼자만의 여유를 갖고 시간을 보낸다. 평일 오피스에서는 사람들과 함께 머리를 맞대고 생각을 짜내는 '창작하는 일'을 하고 있기에, 주말에는 사람들과 잠시 멀어져 혼자 있는 시간을 확보하려 노력하고 있다.

나와 대화하기 위해 읽기

혼자 있는 시간에 나는 자신과 친해지려고 노력한다. 자신과 친해지기 위해서는 혼자 하는 대화가 필요하다. 나는 자신과 대화하기 위해 읽는다. 다독가는 아니고, 책을 꼼꼼하게 읽으려 노력하는 사람이다. 책의 문장을 꾹꾹 눌러서 눈으로 담으면, 마음을 때리는 문장을 발견하곤 한다. 그 문장을 발견하면 책 상단을 접고, 밑줄 긋는다. 그리고 독서 애플리케이션 리더스에 문장과 그 문장을 보고 느낀 점을 적어본다.

2023년 7월 별세한 거장 밀란 쿤데라의 '참을 수 없는 존재의 가벼움'을 읽고 있다. 소설 속 주인공 테레자는 동반자 토마시를 만났을 때, 치명적인 우연이 작용했다고 이야기한다. 테레자가 바텐더로 일을 하던 시골 동네의 허름한 바에 등장한 지적인 사내, 그리고 사내의 등장과 함께 흘러나왔던 베토벤의 음악.. 물질세계에 대한 환멸의 느끼고, 정신적인 것을 동경하던 테레자에게 토마시는 답답한 현실에서 탈피하도록 돕는 구원자 같았다. 허름한 바와 베토벤의 음악 등은 둘 사이 만남에 치명적인 우연으로 작용하여 둘은 결국 연인 사이가 된다.

밀란 쿤테라는 치명적인 우연을 사람과 사물의 만남에서 발생하는 것으로 정의한다. 이때 사람이 순간(사물을 둘러싼 환경)을 얼마나 특별하게 여기느냐에 따라 삶의 악장이 변한다고 설명을 덧붙인다. 참을 수 없는 존재의 가벼움에서 '치명적인 우연' 을 설명하는 내용이 내 감성에 보슬비를 내려 촉촉하게 했다.

인생을 조금 더 풍성하게 살아가려면, 우리가 지금 마주하는 순간을 대수로이 여겨 흘려보내는 것이 아니라 이를 치명적인 우연으로 바라 볼 줄 알고, 우리의 인생을 상황에 맞게 변주하면서 살아야 하지 않을까? 그래서 감성과 감정이 풍부해지는 삶이 행복한 삶이지 않을까?

> 인간의 삶은 마치 악보처럼 구성된다. 미적 감각에 의해 인도된 인간은 우연한 사건을 인생의 악보에 각인될 하나의 테마로 변형한다. 그리고 작곡가가 소나타의 테마를 다루듯 그것을 반복하고, 변화시키고, 발전시킬 것이다.
>
> 참을 수 없는 존재의 가벼움 p. 16 (저: 밀란 쿤테라)

이처럼 쉬면서 하는 읽는 시간은 나 같은 기획자의 생각을 말랑말랑하게 만들어주고 있다. 생각을 말랑말랑하게 유지하게 되면, 자신과 나누는 대화의 폭이 넓고 깊어진다. 나와 다양한 주제로 대화할 수 있다. 오늘은 밀란 쿤테라가 정의한 치명적인 우연에 대해 나와 대화했다면, 내일은 요한 이데마가 알려준 미술을 바라보는 시각에 관해 이야기해 본다. 나에게 미술이란 작가의 화풍이라는 픽션을 가미한 세계에 빠져보는 시간이다. 미술작품을 바라보고 있으면 그림 속에 하나의 캐릭터가 되어 작품 안의 세상으로 빨려 들어가는 진기한 경험을 하게 된다. 현실 세계를 떠나 그림이라는 환상의 세계에서 살아보는 것은 인생에서 겪을 수 있는 특별한 경험이다.

읽고 나와 대화하는 쉬는 과정을 통해 기획을 이해하는 범위의 폭도 넓힌다. 읽으면서 스스로 질문을 던지고 대화하는 과정은 나만의 생각을 끌어내는 법을 경험할 수 있는 과정이다. 이 경험은 내가 기획일을 할 때 머릿속에서 사고를 하며 일을 진행하는 습관을 형성하게 한다. 기획할 때 발생하는 '읽음'에서 나는 내가 만들어내는 브랜드의 본질, 전략이 무엇이 될지 집요하게 파고든다.

읽음이라는 휴식 시간을 통해 알게 된 기획의 방법이다. 읽고 생각한다. 그리고 나만의 사고와 감정을 소환한다. 쉬면서 하는 '읽음'은 기획자의 기획을 더 깊어지게 하는 효과가 있다.

애견 카페에서 쓰기

여우를 닮은 반려견과 함께 지내고 있다. 나이는 4살이고 이름은 스톤이다. 스톤은 크리스마스에 충주 길거리에서 구조된 5남매 강아지 중 한 마리로, 이름은 구조된 날 크리스마스 한 음절에서 따왔다. '크(림)', '리(치)', '스(톤)', '마(크)', '스(타)'

나는 가끔 평일에 반차를 내고 스톤이와 애견 운동장을 가는 것을 좋아한다. 오프리시로 스톤을 풀어주면, 스톤이는 야생 여우처럼 운동장을 10바퀴 20바퀴 곤 뛰는데, 이 모습을 보고 있으면 보호자로서 뿌듯함과 함께 행복함까지 느껴진다. 아마 반려견을 키우는 대부분 보호자가 강아지가 놀면서 지치는 모습을 보며 쾌감을 맛볼 것이다.

스톤이 열심히 냄새를 맡고 운동장을 몇 바퀴 뛰었을 때, 나는 자리에 앉아 노트북을 펼친다. 그리고 무엇을 하느냐? 단어와 문장의 조합으로 글을 써 내려간다. 사무실에서 앉아 그렇게 쓰는 일을 하는데, 쓰는 게 지겹지 않냐고? 이렇게 누가 물어본다면, 일이 아닌 진정한 나를 위한 글쓰기를 할 수 있는 시간이기에 지겹지 않다고 자신 있게 이야기할 수 있을 것이다.

써내려 가는 주제는 아내와의 결혼 '생활', 문화 '생활', 직장 '생활' 등이다. 휴식하면서 하는 글쓰기는 주로 나라는 사람을 이루고 있는 생활에 대한 이야기이다. 생활에 대한 이야기를 쓰게 되면 나의 인생을 객관적으로 바라볼 수 있어 좋다. 내가 각종 집단과 사회에 속해 살아가면서 '잘하거나 잘못하고 있는 부분이 무엇인지', 나는 인생에 있어 '어떤 가치관을 따르고 있는지'에 대한 자기 점검을 할 수 있다. 글을 쓰며 나를 점검하고, 곱씹고, 소화한다.

과거부터 현재까지 나를 형성해 온 생활을 꺼내어 쓰다 보면 나를 형성하는 고유한 이야기가 구조화되어 글로 발현된다. 읽음을 통해 이뤄진 자신과의 대화, 혹은 생활 속 재밌는 에피소드 모두 글의 소재가 될 수 있다. 읽음이 생각의 깊이를 넓히는 과정이라면, 쓰기란 생각의 깊이를 잊어버리지 않고, 오랫동안 유지하기 위한 창작의 과정이다.

브런치 플랫폼에서 '아내의 생일에 떡볶이를 먹자고 했을 때' 글을 쓰고, 많은 사람의 관심을 받은 적이 있다. 아내와 함께하는 결혼생활과 관련된 글이었고, 조회수는 현재까지 약 8만 회를 기록하고 있다. 나는 이 글을 쓰고, 숱한 아내들에게 악플을 받았더랬다. 그 글이 이렇게 주목받을 걸 알지 못했기에 악플에 대한 세상의 관심이 싫지만은 않았다. 오히려 내 글을 통해 사람들이 생각을 나눌 수 있다는 사실이 신선했다. 글은 코로나로 인해 실직했을 때, 재취업을 준비하는 상황에서 아내에게 내가 저지른 실수에 대한 내용을 담아내고 있다. 그때 나는 내 심정이 불안하다는 이유로 아내의 생일 준비를 전혀 하지 않았고, 아내가 퇴근하기 전까지 핸드폰 게임을 하면 놀다가 집에 도착했을 때 무작정 떡볶이를 먹자고 제안했었다.

이때 내가 저지른 만행을 보면, 어쩌면 악플이 달리는 건 당연하였을지도 모른다. 사람들의 많은 관심 덕분에, 자신의 생활에 대해 더욱 객관화 하여 점검할 수 있는 계기가 되었다. 내가 얼마나 큰 잘못을 했는지 더 잘 보였다. 배우자에 대한 '존중과 배려' 없다면, 가정은 결코 행복할 수 없다. 이 글을 쓰며 나는 자기 자신의 감정을 최우선으로 여기던 과거 싱글의 삶의 허물을 벗어 던져 버렸다. 인생을 바라보는 중심을 '나'에서 '우리'로 가치를 옮겼다. 이제는 나를 통해 아내가 더욱 행복해졌으면 좋겠다. 나를 통해 아내가 더 나은 사람으로 성장했으면 좋겠다.

이 글을 쓰고 있는 애견 카페에서의 휴식 시간 스톤이는 한참을 놀다가 내 옆에 자리를 트고 엎드려있다. 혓바닥을 날름날름 내밀며 헉헉대고 있는 스톤이를 바라보며, 오늘도 글을 쓰기를 잘했다는 생각이 든다. 오늘도 나는 글을 통해 세상에 묻는다. '저는 현재 이런 삶을 살고 있는데, 제 삶 어떤가요?', 혹은 '저는 이런 고민을 하고 있는데, 당신은 이 고민에 대해 어떻게 생각하나요?'

나의 이야기가 어느새 다른 사람에게 전달되어 우리는 잠시 인생을 공유한다. 나의 인생과 그의 인생이 만나 서로의 인생을 논한다. 이야기를 통해 서로의 생각이 깊어지고, 그 이야기는 오랫동안 기억 속에 회자된다. 나는 일할 때도, 휴식할 때도 글을 통해 세상과 소통하는 몹쓸 기획자다.

나의 일하는 자아는 일하면서 '고유함'을 더한다.

미뤄왔던 예림

예림

- 나의 꿈은 싸움 짱
- 행복한 고민
- 우리 엄마
- 우리 아빠
- 드러낸 진심
- 숨겨둔 진심

나의 꿈은 싸움 짱

다들 어릴 때 무슨 꿈들을 꾸었는가?

나는 참 다양한 꿈들을 꿨지만 그 중 하나는 싸움 짱이 되는 것이었다. 처음에는 그저 힘이 갖고 싶었고, 어느 순간부터는 날 지키기 위해, 내가 사랑하는 것들을 지키기 위해 강해지고 싶었다. 사실 아직까지 이루진 못했지만 여전히 꿈꾼다. 나의 발차기 한 번에 세 명이 쓰러지는 그런 싸움 짱 말이다. 그냥 하는 말이 아니라 제법 진심인 마음이어서 검도를 배운 적도 있다. 심지어 내가 모아뒀던 돈으로 말이다! 복싱을 배울지 유도를 배울지 검도를 배울지 고민하다가 검도를 배우기로 한 것이었다. 검도에는 죽도가 있어서 더 강해질 수 있고 비 오는 날 우산으로 대체할 수 있다는 어린 생각이 검도를 택한 이유였다. 이왕 배우는 거 잘하고 싶어서 열심히 다녔다. 다들 주 2회반 혹은 주 3회반을 할 때, 나는 매일반을 했었다. 매일 운동을 하니 실력도 정말 빨리 늘었다. 사범님께서는 특히 나의 허리치기 자세를 칭찬해주셨는데 어렵다던 동작을 칭찬받아서 기분이 좋기도 했다.

그러나 예상치 못한 큰 문제가 생겼다. 단을 따려면 겨루기를 해야 하는데 나는 사람을 때리지 못한다는 것이다. 상대의 빈틈을 보고 파고들어도 점수를 딸 수 없었다. 결코 죽도를 사람에게 휘두르지 못하기 때문이었다. 내가 사람을 때리지 못한다는 것을 처음 알게 되었을 때 일주일 내내 들었던 말이 “호구 쓰면 안 아파, 예림아.” 였다. 맞는 말이다. 하지만 호구를 쓴다고 해서 느낌이 아예 안 오는 건 아니다. 사범님께서 그 말을 직접 증명이라도 해주시려는 듯 호구를 착용하고 있던 나를 꽤 강한 힘으로 치셨는데 충격이 느껴졌다. 그래서 나는 더 때릴 수가 없었다. 충격이 아예 없는 게 아니라는 것을 알게 되었으니 말이다. 나보다 어린 동생이면 동생이니까 차마 못 치겠고, 나보다 어른이면 또 어른이니까. 나랑 동갑이면 친구라는 이유로 죽도를 내리치지 못했다.

그게 사범님의 심기를 건드린 모양이었다. 빨리빨리 잘 배우고 검도 배우겠다고 찾아왔으면서 사람을 때리지 못하니 말이다. 어느 날은 사범님께서 호구를 착용하신 채로 나를 따로 부르셨다. 그리고 이어지던 사범님의 말씀. “예림아, 사범님 호구 입었다. 가만히 서 있기만 할 거니까 날 한 대라도 때리기 전까지 오늘 집에 안 보낸다.” 나랑 사범님은 그렇게 30분 넘게 서로 자세만 잡은 채로 서 있었다. 물론 난 아직 한 대도 때리지 못한 상태였다. 그렇게 10분 정도 더 흘렀을까. “예림아, 적당히 버티면 그만할 것 같지? 집에 안 보낸다는 말, 장난 아니야. 진심이야. 한 대라도 때리기 전까지는 진짜 집에 못 가.” 이 말을 들었을 때 나는 이러다가 정말로 집에 못 갈 수도 있겠다는 생각이 들었다. 그리고 울컥했다. 정말 온 마음을 다해 검도가 배우고 싶었고, 또 잘하고 싶었는데 이렇게 호구 쓴 채로 가만히 앞에 서 있는 사람조차도 때릴 수 없다는 점이 너무 속상하고 비참하게 느껴졌기 때문이다. 계속 이러다가 때리지도 못하는데 사범님 앞에서 눈물까지 보일까 봐 겨우 죽도를 휘둘렀다. 말이 휘둘렀다지, 사실 그냥 갖다 댄 정도였다. 그리고 당연히 사범님께 혼났다. 사범님께서 원하시던 건 이런 게 아니었을 테니. “더 세게!! 더 세게 내리쳐야지 집에 보내줄 거야!” 새어나오려는 눈물을 꾹 참고 아까보다는 좀 더 강하게 내리쳤다. 사범님의 기준에는 못 미쳤겠지만, 사범님께서는 그게 나의 최선이었음을 아셨는지 그냥 넘어가 주셨다. 사범님은 나에게 내가 너무 착해서 그렇다고 하셨지만 집에 돌아가던 내내 나는 ‘어쩌면 나는 싸움 짱이 될 수 없는 사람이었을지도 모른다.’라는 생각을 했다.

그리고 나는 검도를 마무리했다. 정말 간절히 바라던 꿈이 다른 무엇도 아닌 나의 이유로 좌절된다는 것이 너무 슬펐다. 내가 나를 막았다는 점이 비참했다. 검도를 배운 것도 벌써 5~6년 정도 흘렀다. 글을 쓰고 있는 지금 다시 떠올려보니 이제는 겨루기를 할 수도 있을지도 모른다는 생각이 살짝 든다. 다시 용기를 얻게 되는 날 죽도를 잡아봐야겠다. 여전히 싸움 짱은 나의 꿈이기 때문이다.

행복한 고민

과자를 사랑하지 않을 수만 있다면 나는 과자를 더는 사랑하지 않고 싶다.

입맛은 나이 먹음에 따라 변하던데 어째서 과자를 좋아하는 건 여전한지 모르겠다. 과자는 몸에 좋지도 않은데 말이다. 그렇지만 나는 20년 후에도 아마 과자를 좋아할 것이다. 지금은 편식을 안 하는 편이지만 어릴 때에는 편식을 했었다. 그러나 과자에 한해서는 어릴 때부터 편식이 없었다. 세상의 모든 종류의 과자들이 저마다의 이유로 좋았고, 다양한 맛들을 전부 맛보고 싶었다. 하지만 그렇다고 해서 진짜로 모든 과자를 다 먹을 수는 없는 법. 엄마랑 함께 마트에 가게 되면 항상 '정말 먹고 싶은' 과자 하나 혹은 두 개 정도를 골라야만 했다. 나는 그 선택에 있어서 늘 진지하고 진심으로 최선을 다해 임했으며, 그런 나의 모습을 보시던 엄마는 늘 나에게 "좋겠다. 우리 예림이 행복한 고민 중이네~"라며 나의 선택을 응원해 주셨다. 그 말씀을 하시던 엄마는 참 환하고 눈부시게 웃고 계셨다. 이때부터였다. 무언가를 선택함에 있어서 들이는 시간들이 괴로운 것이 아니라 행복한 것이라고 받아들이는 것 말이다. 이건 엄마가 알려준 소소하지만 중요하고 확실한 행복이다.

무언가를 결정하거나 선택할 때 고민의 시간이 오래 걸리는 편인가?

나는 급한 일이 있는 것이 아니면 최대한 천천히 고민하는 편이다. 나에게는 그 시간들이 엄마가 알려준 분명한 행복이었으니 말이다. 그러나 요즘 세상은 그러한 고민의 시간이 긴 사람들을 결정장애 혹은 선택장애라고 부르는 것 같다. 고민의 시간이 너무 괴로워서일까. 아니면 한 번에 결정하지 못하는 자신에게 답답함을 느껴서일까. 그것도 아니면 선택 후 모든 결과를 오롯이 책임을 져야 한다는 게 부담스러워서일까. 어쩌면 모두 이유가 될지도 모르겠다. 고백 하나 해보자면 나도 그들 뒤에 숨어 그 단어를 앞세운 적이 있다. 엄마가 알려준 소중한 행복을 지키지 못한 순간이었다. 나이가 들수록 겁도 는다던데 맞는 말인가 보다. 소중한 것들을 말하기보다 타인이 나를 더 빨리 이해하도록 만드는 말들을 더 많이 하기 시작했으니 말이다. 숫자랑 친한 어른은 되고 싶지 않았는데 어쩔 수 없다는 이유로 이미 되어버린 것 같다. 경계해야겠다. 나에게 소중한 것들을 지키기 위해.

이 자리를 빌려 내가 좋아하는 소중한 것들을 말해보겠다. 나를 설레게 만드는 것들을 말이다. 다들 함께 본인을 설레게 하는 게 무엇인지 떠올려보시기를 바란다.

나는 봄에 태어나 봄을 좋아한다. 맑고 깨끗한 하늘도 좋아한다. 뭉게구름도 좋아하고, 바람에 따라 흘러가는 구름을 구경하며 바람의 속도를 느끼는 것도 좋아한다. 구름 모양을 관찰하는 것도 좋아한다. 푸르게 펼쳐진 자연을 보는 것도 좋아한다. 어디든지 누워 바라보는 하늘들을 사랑한다. 기분 좋게 부는 봄바람을, 시리게 부는 겨울바람을 사랑한다. 차가운 겨울날 두터운 외투를 벗고 바람을 맞는 것을 좋아한다. 날 좋은 날 집을 나서는 걸 좋아한다. 좋아하는 이들과 맛있는 걸 먹는 것을 좋아한다. 공연을 사랑한다. 나는 사람을 사랑한다.

다들 잠시나마 본인들이 무엇을 좋아하는지에 대해 고민해 봤는지 궁금하다. 나는 그 고민들이 행복한 고민이라고 생각한다. 고민할 순간들이 있다는 건 사실 참 감사한 일이다.

지금 이 글을 쓰고 있는 나날들은 차가운 바람이 부는 날들이다. 그리고 그 바람은 내가 그 시간들을 온전히 즐길 수 있기를, 행복이라고 생각하며 늘 감사할 수 있기를 바라는 바람이다.

우리 엄마

나는 그녀를 사랑한다.

감사하게도 엄마 역시 나를 사랑한다. 우리 엄마는 다정하고 상냥하며 요리도 잘하시고 부지런하시고 현명하며 애교도 많고 여리며 나보다 이타적이고 늘 배우고 싶어 하는 사람이다.

그리고 무엇보다도 감사할 줄 아는 사람이며, 사랑이 많은 사람이다.

어느 순간 든 생각은 나는 엄마처럼 살지 못한다는 것이었다. 내가 보기에 엄마가 나보다 훨씬 부지런하고 좋은 사람이기 때문이다. 일단 매일 아침 4~5시에 일어나는 것부터 나는 탈락이다.

엄마와 나 사이에 있었던 모든 일들이 감사하고 소중하고 나에게 다 깨달음으로 다가왔지만, 그중 엄마가 어떤 사람인지에 대해 알 수 있는 일화들이 몇 개 있다. 그걸 들려주고자 한다.

먼저, 내가 슬슬 버릇없었을 때 엄마랑 다투고 나면 꼭 화해의 시간을 가졌던 것이다. 다투고 나면 우린 자연스럽게 시간이 흘러 화해를 한 것이 아니라 거실 식탁이나 내 방에서 서로의 눈을 마주치며 서로의 손을 잡은 채 서로에게 사과하고 화해를 했다. 물론 엄마가 더 멋진 사람이라 엄마가 먼저 다가온 날이 더 많았지만 내가 너무 잘못한 날은 내가 먼저 다가가기도 했다. 사실 우리 둘은 서로 사랑하기 때문에 다툰 일이 많지는 않았지만, 그 모든 다툼에 화해하는 시간을 가졌던 게 지금 생각하면 참 감사하다. 덕분에 나는 친구 혹은 어떠한 관계에서 서로 충돌이 생기면 화해하는 방법을 배울 수 있었다.

여담으로 나는 비속어를 안 쓰는데 이것도 엄마의 영향이 있는 것 같다. 엄마는 말 예쁘게 하는 것을 중요시하는 사람이기 때문이다. 늘 나에게 말은 '아' 다르고 '어' 다르다며 딱딱한 내가 둥글게 세상을 살아갈 수 있도록 도와주셨다. 말은 마음을 전달하는 것이기 때문에 늘 신중히 표현해야 한다는 것이었다. 더불어 사는 세상이니까 서로 조심하고 배려해야 한다고 해주셨다.

다음은 코로나가 한창 위험했을 때 일이다. 2차 백신의 후유증에 대한 문제로 부모님께서는 본가를 떠나 지내는 딸의 걱정을 많이 하셨다. 드디어 2차 백신을 맞은 다음 날 나는 부모님을 안심시켜 드리려고 전화를 드렸다. 정말 다행히 감사하게도 나는 별다른 후유증이 없이 지나갈 수 있었고, 그걸 부모님께 알리고 싶었다. 받자마자 상태를 물어보시는 엄마의 말에 나는 일부러 엄마를 안심시키고자 더욱 과장해서 "괜찮던데?!" 라고 답했다. 그리고 혼났다.

이유인즉슨 나의 말이 너무 감사할 줄 모르는 말이었기 때문이다. 그 당시 후유증을 앓는 사람들은 꽤 있었고, 그들은 진심으로 아파하며 힘들어했는데 나에게 별다른 후유증이 없는 건 너무나도 감사한 일이고 겸손해야 할 일인데도 내가 아무렇지도 않다는 듯이 별거 아니라는 듯이 말했다는 게 그 이유였다. 근데 나는 사실 감사함을 느꼈고, 나의 입장에서는 부모님을 걱정시키고 싶지 않아서 말한다는 것이 그렇게 된 거라 살짝 억울하기도 했지만 나의 말이 경솔했던 건 사실이기에 엄마의 말에 동의하며 다음에는 더욱 감사한 마음을 가지기로 했다.

그리고 전화를 끊고 생각했다. 엄마는 나보다 생각이 깊은 사람이고, 그 말을 한 내가 혼날 수 있어서 다행이라고. 엄마에게 따끔하게 혼났지만 희한하게 기분이 좋았었다.

엄마가 나에게 주신 사랑은 항상 확신으로 가득한 사랑이었지만, 아주 가끔은 이렇게 나보다 멋진 사람이 나를 사랑한다는 게 신기할 때가 있다. 엄마가 나의 엄마임에, 내가 엄마의 딸로 태어나 엄마의 사랑을 받으며 자랄 수 있어서 정말 감사하다. 다시 태어나게 되어 엄마를 선택할 수 있다면 나는 다시 한 번 엄마에게 나의 엄마가 되어달라고 하고 싶다.

엄마, 진심으로 사랑합니다.

우리 아빠

나는 그를 사랑한다.

감사하게도 우리 아빠 역시 나를 사랑한다. 사실 나는 딸이 귀한 집에 아주 귀한 막내딸로 태어났다. 내가 태어나던 날 아빠는 친구들에게 전화를 다 돌렸다고 한다.

"우리 집에 드디어 공주가 태어났어." 라고.

정말 나는 공주로 자랐고, 아직도 우리 엄마 아빠는 나를 공주라고 부른다.

엄마에게 아빠랑 결혼하신 이유를 여쭤보자 "아빠가 좋은 아빠가 되어줄 것 같아서" 라고 하셨다. 엄마는 아이를 낳아 오순도순 살아가는 가정을 이루고 싶은 사람이었기에 좋은 아빠가 되어줄 남편을 찾고 있었던 것이다. 우리 엄마는 어쩜 보는 눈도 정확하다. 아빠는 정말로 나에게 좋은 아빠였다. 아빠 같은 사람과 결혼하고 싶었으니 나는 아빠를 꽤나 좋은 사람으로 보고 있는 것이다.

애교가 많은 엄마랑 장난이 많은 아빠는 퍽 어울렸다. 가끔 엄마가 아빠보고 데리러 오라고 하면 항상 못 간다고 혼자 오라고 하시면서 자동차 키를 챙겨 나가신다. 꼭 나와 함께 말이다. 그럼 나는 조수석에 탄 후 엄마한테 전화해서 정확한 위치를 알아내어 엄마의 동선에 맞춰 나타날 장소에 미리 대기한다. 그 장소에 나타난 엄마는 아빠의 차를 보고 깜짝 놀라며 엄청 반갑게 우리에게 오신다. 그럼 아빠는 애써 흐뭇한 미소를 감춘 채 오늘은 왜 데리러 오라고 했느냐며 둘이 대화를 한다. 이게 우리 아빠가 엄마에게 가장 자주 하고 아빠가 가장 좋아하는 장난이다.

어느 날은 아빠랑 같이 장소에서 대기하고 있는 중에 물어봤다.

"아빠는 어차피 엄마 데리러 갈 거면서 왜 맨날 안 간다고 거짓말하고 엄마 놀래키는 거야?"

그러더니 아빠는 수줍게 웃으면서 답했다. "재밌잖아." 이때 아빠의 웃음도 참 예뻤다.

그냥 그게 우리 엄마 아빠의 놀이인가 보다. 내가 보기엔 우리 아빠는 엄마를 좋아한다. 아무래도 엄마는 사람도 좋은데 예쁘기까지 하니까 그런 것 같다. 내가 아빠였어도 엄마를 좋아했을 것 같다. 사실 우리 아빠도 잘생기셨다. 엄마는 그런 아빠랑 결혼했으면서 나보고는 자꾸만 남자 얼굴 보고 결혼하지 말라고 한다.

사실 나는 해리포터이다. 오빠들이랑 같이 자랐던 나는 아주 애기일 때부터 높은 곳에 올라가는 것을 좋아했는데, 여느 날과 마찬가지로 책장 위에 올라가 있을 때 퇴근하신 아빠가 집으로 오셨다. 그게 무척 반가운 나는 얼른 아빠에게 인사하고 싶어서 후다닥 내려왔는데 그러다가 책상에 이마를 찍어버렸다. 그렇게 아빠는 퇴근해서 집에 오자마자 피가 나는 딸을 안고 다시 집을 나서야만 하셨다. 공주 얼굴에 흉을 지게 할 수는 없어서 성형외과에서 수술했다는데 안타깝게도 흉이 생겼다. 이 일은 사실 3살 때 일이라 나의 기억에는 없고 엄마가 말해준 이야기이다. 엄마아빠는 흉터를 없애는 수술이 있으니 크면 그걸 받자고 하셨는데 나는 받을 생각이 딱히 없다. 흉터의 위치가 해리포터와 같아서 마음에 들기도 하고 내가 아빠를 사랑하는 마음이 얼굴에 나타난 것 같아서 마음에 들기 때문이다. 나는 아빠를 진짜 좋아해서 중학생일 때까지도 퇴근한 아빠한테 인사하러 가다가 넘어져서 다친 경우가 왕왕 있었다. 그때만 잠시 아팠지 시간이 지난 지금 나에게는 다 하나의 추억이 되었는데 최근에 친구를 만나 이야기하다가 아빠는 내 얼굴의 흉터를 볼 때마다 마음 아파할 수도 있겠다는 생각을 했다. 나는 단순히 내가 귀한 막내딸이라 엄마아빠의 사랑을 듬뿍 받았다고 생각했는데 물론 그 이유도 있겠지만 어쩌면 내가 사람을 무척 좋아해서, 잘 넘어져서 더욱 귀하게 자란 걸지도 모른다. 엄마아빠한테 말해주고 싶다. 함께여서 일어났던 모든 일들이 때로는 아프고 속상했을지도 모르지만 그럼에도 불구하고 행복하고 감사했다고 말이다.

아빠는 아침에 밥 먹는 것보단 간단하게 빵과 우유를 드시는 걸 좋아하셨는데, 엄마는 밥을 선호하시기도 하고 집에는 자라는 아이들도 있었기 때문에 아빠의 양보로 우리 가족은 매일 아침밥을 함께 먹으며 하루를 시작했다. 그래서 그런 아빠를 위해 일요일 아침은 꼭 간단하게 빵과 우유를 먹는 날이 되었다. 이렇게 되면 매일 가족들을 위해 아침을 해주셨던 엄마도 조금은 쉴 수 있어서 모두에게 좋았다. 나는 이러한 우리 집만의 규칙이 서로를 위하는 마음을 잘 나타낸 것 같아서 마음에 들었다. 그리고 엄마가 요리를 제일 잘해서 요리는 엄마가 하고 대신 설거지는 아빠가 했는데 이게 경상도 집안에서 특히 엄마 아빠 세대에서 보기 흔한 풍경이 아님을 나는 중고등학생이 되어서야 알았다. 설거지는 아빠 당번이었기 때문에 자연스럽게 오빠들이 설거지 방법을 배웠고, 나는 막내이기도 해서 집에서 설거지하는 일이 없었다.

그렇게 부끄럽지만 나는 설거지를 고등학교 때, 친구 집에 놀러 가서 뒷정리 가위바위보에 진 후 친구에게 배울 수 있었다. 그리고 그날 인생 처음으로 설거지를 했고 집에 가서 자랑한 기억이 난다.

나는 우리 집의 공주답게 학교도 편하게 다녔다. 집이랑 아주 가까운 초등학교 중학교를 졸업한 후 고등학교는 꽤 거리가 있는 곳으로 가게 되었는데, 아침에 더 자고 싶었던 날 위해 아빠가 맨날 일찍 일어나서 데려다 주셨다. 그렇게 나는 3년 내내 등하교를 거의 아빠 차를 타고 했고 가끔 그 차에 친구들도 태워 같이 등하교했으며, 어쩔 땐 친구네 아버지 차를 타고 등하교를 하기도 했다. 가끔 버스 타고 집에 오고 싶은 날 빼면 몽땅 아빠와 함께 학교를 다녔다. 그 당시에는 이게 얼마나 큰 사랑이고 정성인지 미처 알지 못했는데 지금은 확실히 알겠다. 아침에 그 달콤한 잠을 딸을 위해 포기한다는 게 아빠의 사랑이었음을 말이다.

마찬가지로 내가 아빠의 딸로 태어날 수 있음에 그리고 아빠가 나를 사랑으로 키워주심에 너무 감사하다. 다시 태어나게 되어 아빠를 선택할 수 있으면 나는 또다시 아빠의 딸로 태어나고 싶다.

아빠, 진심으로 사랑합니다.

드러낸 진심

예림. 나는 나를 사랑한다.

필명으로 쓴 예림은 실제 내 이름이다. 사실 처음에는 불리고 싶은 이름으로 혹은 숨고 싶은 이름으로 필명을 지으려고 했었다. 예를 들면 초등학생 때부터 갖고 싶었던 성인 '이'로 시작하는 이름을 짓는다든지 말이다. 그러다 문득 깨달았다. 내가 왜 이 글을 쓰고자 했는지.

처음에는 고등학교 친구이자 이 책의 다른 작가님 중 한 명인 친구가 함께 글 써 보자고 해서 고유 출판사를 알게 되었다. 나는 어릴 때부터 철학, 문학과 문화를 사랑했으며, 글 쓰는 것도 좋아했고, 무엇보다도 솔직해지고 싶어서 같이 글을 쓰기로 했다. 어쩌면 사실은 날 보여주고 싶어서, 누군가는 그런 날 봐주길 원해서 솔직해지고 싶었던 것이다. 그런 내가 나로 서 있지 않고 또 다른 이름 뒤에 숨으면 이제껏 살아온 것과 똑같아서, 솔직해지고 싶다던 나의 말과는 다르게 너무 어불성설일 것 같아서 진짜 내 이름으로 글을 쓰게 되었다. 그리고 사실 예림이라는 이름은 아빠가 직접 지어준 이름이다. 자식들에게 예쁜 이름을 주고 싶으셔서 한자공부도 하신 아빠는 하나뿐인 딸에게 엄청나게 예쁜 이름을 지어주고 싶어 하셨다. 그래서 자칫 출생신고도 늦을 뻔할 정도로 고심해서 지어준 이름이 예림이다. 나는 내 이름이 마음에 든다. 뜻도 참 예쁘고 좋은 소중한 나의 이름이다.

*

나는 과거의 총합이 현재의 나라고 생각한다. 살면서 내가 보고 듣고 배운 것 등 내가 경험한 모든 것들이, 이전에 나에게 일어난 모든 일들이 모여 지금 현재의 내가 되었다고 생각하기 때문이다. 나는 그 과정에서 있었던 모든 선택들에서 후회 없는 선택을 하기 위해 노력했고, 설령 아쉽더라도 그 당시의 나에게는 모두 최선의 선택들이었다. 그래서 그 모든 일에 대해 후회는 없다. 어느 뮤지컬 배우가 한 말씀인 “다 만날 사람이었고, 있을 만한 일들이었다.”처럼 어차피 언젠가는 모두 다 만날 사람이었고, 일어날 일들이었다.

*

내가 나를 드러냄에 있어서 부모님 이야기를 많이 한 이유는 내가 현재 지금의 나로 있을 수 있는 데에 부모님의 영향이 크다고 생각하기 때문이다. 그리고 부모님과 있었던 많은 일들 중에 감사하고 아름다운 일화들을 쓴 이유는 내가 그분들을 그렇게 바라보기 때문이며, 현재의 내가 가족과 떨어져 지내고 있어서 사실 그들을 몹시 그리워하고 있기 때문이다.

우리가 함께한 그 긴 세월 동안 분명 속상한 일도 있었을 텐데 그럼에도 불구하고 좋았던 기억이 더 많다. 나는 그것도 참 감사하다.

*

솔직함에 대한 경계선은 늘 어렵다. 이건 그 경계선 위에 선 나의 첫 발걸음이다. 이걸 시작으로 앞으로도 계속 고민하고 생각하고 싶다.

숨겨둔 진심

*인쇄오류 아닙니다.

흰 종이에 하얀색으로 나의 진심을 꾹꾹 눌러 썼다. 오랜 친구는 날 보며 방수처리 된 하얀 도화지 같다고 했다. 공감한다. 사실 하나 말해보자면 그 하얀 도화지 안에는 무수히 많은 나로 빼곡히 가득 채웠다. 언젠가는 그 색이 진해져서 나타날 수 있기를, 숨겨둔 글자들을 알아보는 이를 만날 수 있기를 슬며시 바라본다. 혹시라도 숨겨둔 진심을 알아챈 이가 있다면 그것 또한 감사하다. 당신 덕분에 내가 나로 서 있을 수 있었다.

나는 행복을 잘 느끼는 사람이다. 어제도 행복했고 오늘도 행복했고 아마 내일도 행복할 것이다. 하지만 그렇다고 해서 늘 행복하기만 한 것은 아니다. 솔직히 사연 없는 사람이 어디 있겠는가. 나도 가끔은 지치고 힘들고 슬프고 아프고 행복하지 않은 채 우울하기도 했다. 그렇지만 찰나일지라도 순간순간 행복이 존재했고, 나는 그 행복한 순간들을 포착했다. 그리고 그런 순간이 단 하나라도 있으면 그냥 행복하고 감사하다. 같이 글 쓰자고 제안해준 나의 오랜 친구에게 감사하다. 덕분에 이렇게 나는 나일 수 있는 기회를 얻었다. 내가 나일 수 있도록 해준 모든 것들에, 나의 주위 사람들에게, 내가 사랑하는 사람들에게도 진심으로 감사하다. 덕분에 내가 여기 존재할 수 있었다. 내 이야기를 들어준 당신에게도 감사하다.

나는 편지를 쓸 때마다 마지막으로 항상 쓰는 말이 있다. 그 말을 끝으로 이야기를 마치려고 한다. 마지막으로 다시 한 번 감사의 말을 전하며, 당신의 하루하루가 너무 외롭지 않은 나날이었으면 좋겠다. 온 마음을 다해.

우리 늘 건강하고 행복하자.

2023. 12. 31. 일요일
눈 온 다음, 새해를 기대하는 마음처럼 맑았던 날에.
예림이가.

우유에 시리얼을 얼마나 담아 먹나요?

임수경

우유에 시리얼을 얼마나 담아 먹나요?

나는 그 애를 20살에 처음 만났다. 눈이 큰 애였다. 그앤 날 보고 첫눈에 반했다고 하지만 나는 그리 쉽게 반하는 스타일은 아니었다. 내가 그 애에게 마음이 생긴 건 내가 좋아한다던 자두를 사다 줘서 일 수도 있고, 알록달록 젤리를 사 와서였을 수도 있다.

무더운 여름, 새로 생긴 백화점이 오픈하기 전이었다. 우리는 그곳에서 함께 아르바이트를 했다. 나는 린넨으로 컵의 물기를 꼼꼼히 닦고 있었다. 그날은 오픈 준비로 하루 종일 정신이 없었다. 다리가 아파서 집에 가고 싶을 뿐이었다. 그런 생각을 하던 와중에 그 애가 들어왔다. 점장님의 소개로 의례적인 인사를 나눴다. 그게 우리의 첫 만남이었다.

그 애의 이름은 동그라미였다. 둥글었다. 그래서 부르기 좋았다. 나는 그 애의 이름에 한 번도 성을 붙여 부른 적 없었다. 그 애의 이름 석 자가 원래부터 '원' 인 것처럼 불렀다. 원이의 이름을 부르면 누군가 나의 이름을 부르는 것처럼 기분이 좋았다. 나는 원이에게 말을 할 때마다 "원아, "라고 시작했고, 이름을 부르는 건 우리만 할 수 있는 특권이었다. 남들도 나를 같은 이름으로 부르지만 이상하게 우리가 부르는 이름은 마치 서로만 가진 이름 같았다.

우리는 땀 흘리며 일했다. 주방은 더웠고 매장의 홀은 시원했다. 나는 홀에서 손님 응대를 하기 싫어 굳이 더운 주방 안으로 들어가 궂은일을 나서서 했다. 원이도 그걸 눈치채고 일부러 여기서 일하는 거냐며 물었다. "아니에요. "라고 했지만 완전한 사실이었다. 점장님이 손님이 많아져 홀을 봐 달라고 하면 나는 그제야 손님 응대를 했다. 아르바이트생 중에 그나마 조금 더 경력이 있던 나는 일을 가르쳐 주기도 해야 했는데 원이는 내가 일을 가르쳐 주면 장난을 치곤 했다. 마감 시간엔 커다란 음식물쓰레기통을 비우러 지하로 내려가야 했는데 혼자 가기 무거워 원이와 함께 가야 했다. 혼자 가지 않아 다행이었지만 방법을 알려줘야 했다. 끌차를 끌면서 엘리베이터에 타야 한다고 앞으로 씩씩하게 걸어가는데 끌차에서 음식물 쓰레기통 바퀴가 미끄러지며 쏟아졌다. "미친." 새 카펫 위로 쏟아지는 형형색색의 걸쭉한 쓰레기를 보고 나는 매장으로 곧장 달려갔다. 온몸에 식은땀이 났지만 점장님에 눈에 띌까 봐 아무렇지 않은 척 걸레, 빗자루, 쓰레받기. 챙길 수 있는 걸 모조리 챙겨와 다시 뛰어 돌아왔을 때 원이는 그걸 손으로 주워 담고 있었다. "아악! 제발 만지지 마세요. 제가 다 할게요!"둘이 쪼그려 앉아 그걸 수습하며 우리는 같은 감정을 느꼈다. 이를테면 초라함, 역겨움. 나는 복도 카펫에 그것을 흘려 컴플레인이 들어오지 않을까 겁내며 최대한 티 안 나게 수습하려 애썼다. 하지만 결국 자국이 남았다. 우리만 알아야 하는 비밀이 생겼고 이후 나는 절대 음식물 쓰레기통을 비우러 가지 못했다. 원이는 무조건 혼자 간다며 나를 기피했다.

원이는 나보다 퇴근이 한 시간 빨랐다. 금요일이라 정리할 게 많아 퇴근이 늦어졌다. 나보다 먼저 일을 마친 원이와 인사하고 옷을 갈아입으러 화장실에 들어갔다. 옷을 갈아입고 나오자 정수기 앞에서 물을 마시고 있던 원이와 눈이 마주쳤다. 우리는 같이 퇴근하게 되었다. 일터 밖은 젊은 사람들이 가득한 밤거리였다. 시끌벅적한 거리에 네온사인이 밝았다. 우리는 녹초가 되어있었지만 출출해서 길거리를 돌아다니며 먹을 만한 게 있는지 찾아봤다. 2바퀴를 넘게 돌았는데도 우리가 먹고 싶은 건 없었다. 고민하다 역 앞 2층에 있는 투썸플레이스에 들어가 아이스크림과 초코라떼를 시켜 나눠 먹었다. 원이는 단 걸 퍽 좋아했다. 특히 초콜릿을 좋아했다. 나는 큰 사이즈의 가나 초콜릿 한 개를 쉬지 않고 한 번에 다 먹어 치우는 사람을 처음 봤다. 우리는 카페에서 그냥 아메리카노를 시킨 적이 없었다. 아마 한 번도 없었을 것이다. 무슨 이야기를 했는지는 기억나지 않지만 시간이 너무 빨리 지났던 것과 우리가 커피를 마시지 못했던 건 기억난다.

다음날엔 나 혼자 퇴근길에 나섰는데, 1층에서 친구와 통화하고 있던 원이와 마주쳤다. 그날까지 존댓말을 하던 우리는 서로의 나이가 동갑인 걸 알게 되었다. 몇 살이냐고 물어 스무 살이라 대답하니 원이는 나의 말을 믿지 않으며 주민등록증을 보여 달라 말했다. 나는 여기가 술집이냐며 민증을 보여줬고 서로의 생일까지 알게 되었다. 그리고 매일 퇴근길을 함께하는 게 우리의 일상이 되었다. 그렇게 조금씩 친해졌다.

10시쯤 일을 마치고 11시가 다가오면 나는 막차를 타고 가야 했는데 나는 그 동네에 살지 않아 넓은 역사에서 버스를 타러 가는 출구가 늘 헷갈렸다. 그 동네에 살던 원이는 나에게 버스정류장에 가는 방법을 알려줬다. 아니 그냥 나를 그리로 데려다 놓았다. 원이는 매번 나를 데려다주고 버스가 올 때까지 항상 같이 기다려줬다. 언제는 같이 일하는 사람들이 우릴 보고 무슨 사이냐며 엮었고, 나는 그런 관심이 싫어 남자친구가 있다고 대답했었다. 나는 그 애와 이성적인 사이가 되고 싶지는 않았다.

입사 동기였던 남자 직원과 원이와 함께 셋이 엘리베이터를 타고 퇴근하던 날이었다. 입사 교육을 같이 듣던 날, 남자 직원은 나를 차로 태워다 준 적이 있었고 이번에도 차를 태워다 주겠다 말했다. 그 말을 듣고 있던 원이는 엘리베이터 안에서 갑자기 자기도 데려다 달라며 당당히 요구했다. 원래 누군가 태워다 주는 건 그냥 선의가 아닌가. 원이는 자기한테 물어온 선의도 아니었는데 덥석 물었고, 차의 뒷좌석에 앉게 되었다. 차 안에서 흐르는 대화는 은근히 운전자와 옆자리 조수석에 앉은 내 중심으로 흘렀다. 원이가 소외감을 느낄지 몰랐다.

토요일은 우리가 함께 일하지 않는 날이었다. 내가 퇴근하자 근처에 친구와 있던 원이는 나를 만나러 왔고 우린 또 목적 없이 밤거리를 걷다 막차 시간이 다다르면 버스정류장 앞에서 헤어졌다. 그 정도면 원이의 마음을 눈치챌 법도 한데 나는 이성 경험이 전무후무한데다 눈치가 없는 편에 속했다. 원이가 나에게 고백했을 때는 내가 일을 그만두는 날이었다.

나는 입시에 실패했다. 원이는 대학교에 다니고 있었지만 나는 재수생이었고, 원이가 친구들과 술을 마시고 놀 때면 나는 그게 은근 부러웠다. 학교를 마치고, 책가방을 메고 저녁 시간대 아르바이트를 하러 오는 원이를 보면 내가 오전부터 하루 종일 학교가 아닌 이곳에서 일한 것이 더욱 피곤하게 느껴졌다. 그런데도 나는 원이와 헤어지고 늦은 시간 동네에 도착하면 PC방에 옹기종기 모여 있는 나의 친구들을 만나러 갔다. 그리고 밤늦게까지 술을 마셨다. 어떤 애는 나처럼 입시에 실패하여 군대에 가야 한다며 울었고, 어떤 애는 대학교 술자리에서 배워온 술 게임을 알려주었다. 나는 군대에 가는 친구와 같이 울며, 술 게임을 알지 못해 벌주만 들이켰다. 술에 잔뜩 취해도 열패감은 잊히지 않았다.

원이는 술을 못 마시는 편이었는데 내가 일을 그만둘 거라 말한 날부턴 가끔씩 친구들과 술을 마시고 나를 만나러 왔다. 마침 장마가 시작되는 비가 오던 날, 우리는 괜히 밤거리를 하릴없이 서성이다 한 번도 놓친 적 없는 막차를 놓쳤다. 나는 엄마에게 전화해 데리러 와 달라고 부탁했고, 원이는 내게 할 말이 있다며 머뭇거렸다. 엄마가 도착하기 전까지, 우리는 의미 없이 돌았던 곳을 뱅뱅 돌며 시간을 보냈다. 원이는 그동안 술을 마신 게 나 때문이라고 했다. 사실은 그때 눈치챘지만, 나는 모른 체했다. 지금 가야 한다며 서둘러 자리를 뜨려고 했다. 그곳에 도착한 엄마에게 전화가 오고 원이에게도 누군가의 전화가 울렸다. 촉박해진 나는 이제 가야 한다고 인사를 했다.

"나 갈게! 안녕."내가 가려고 하자 원이는 내 손가락 끝을 잡았다. 놀라서 쳐다보았다. "내가 왜 그런 줄 알아?"

"왜?"

"내가 너 좋아해서."

"뭐라고? 나 근데 가봐야 해! 나 갈게! 안녕!"

다급하게 인사를 하고 뒤를 돌아 차가 있는 곳까지 뛰어갔다.

그게 원이와의 마지막이었다.

차창 밖은 빗물이 소리 내어 부딪히고 있었다. 톡톡톡톡. 빗물은 창문에 부딪히자마자 주르륵 미끄러 떨어졌다. 빗물은 쌓이지 않았다. 원이가 집에 어떻게 돌아갈지 궁금했다. 나는 부딪힌 빗물이 계속해서 떨어져 가는 걸 지켜보다 집에 도착했다. 문자가 와 있었다.

"너 다신 여기 오지 마."

7월이 끝이 났다.

원이가 던진 고백으로 우리 사이는 재정의되어야 했다. 내가 거절했으므로 관계를 끝내거나, 친구라는 보기 좋은 허울에 가두거나. 나는 원래 우리 사이였던 우정으로 골랐다. 그렇다고 우리의 정이 그렇게 깊고 단단하지는 않을 텐데, 그저 동료애일 텐데. 일을 그만 뒀으니 원이를 자주 볼 일은 이제 없을 텐데. 관계를 정의한 건 나지만 왠지 틀린 결론을 내린 것처럼 미심쩍었다. 아주 어렵게 고백했겠지만 그래도 나는 원이를 만날 수 없다고 생각했다. 나는 다시 수험생활로 돌아가 공부를 해야 했고 원이는 내가 보기에 퍽 좋은 대학을 다니는 것 같았다.

원이와 벌어진 간격이 낯설었다. 매일같이 보던 친구와 헤어지는 졸업식처럼 섭섭하고 서운했다. 나는 생각했다. 친구와 헤어지면 원래 슬픈 거야. 원이와 매일 문자를 주고받았다. 원이는 왠지 홀가분해 보였다. 아무렇지 않게 나를 대했으며 우리 사이는 내가 원했던 친구 사이처럼 보였다. 무거웠던 마음을 나에게 던지고 그때부터 그 마음의 무게는 내 차지가 된 것 같았다. 이성 사이가 아닌 아무렇지 않게 나를 대하는 게 당연한 건데. 나는 원이가 사줬던 자두와 젤리를 떠올렸다.

포장마차가 즐비했던 거리에 어떤 날엔 오렌지를, 자두를 팔았던 가판대를 보며 나는 자두를 좋아한다고 말했다. 향기도 좋고 생긴 것도 예쁘게 생겼다고. 맛도 좋다고. 나는 복숭아같이 생긴 과일들은 다 좋아한다고. 습하고 끈적거리는 열대야.

들쩍지근한 냄새가 났던 쌓인 과일들. 원이는 이튿날, 퇴근한 나에게 검정 봉다리에 들은 자두를 건넸다. 버스 안에서 봉지를 열어보니 동그란 자두가 가득 담겨 있었고 금방이라도 날파리가 꼬일 것 같이 아주 달큰한 냄새가 코에 풍겼다. 그걸 들고 친구들을 만났다. 자두를 보고 뭐냐고 물었다.

"이거? 자두잖아."

"어디서 났는데?"

"같이 일하는 애가 줬어." 친구들은 걔가 널 좋아하는 거 아니냐며 놀렸다.

"아니야. 오다가 주웠대."사실이었다. 나를 좋아할 리 없어.

젤리를 사다 준 적도 있었다. 놀이공원을 좋아하냐는 물음에 나는 놀이공원보다 사탕가게에서 파는 젤리가 좋다고 말했었다. "아 젤리 먹고 싶다!"

다음 날 원이는 사탕가게에서 설탕이 묻힌 알록달록한 젤리를 가득 담아 내게 건넸다. 먹고 싶은 걸 사다 주는 사람은 살면서 우리 엄마밖에 없었는데. 젤리를 씹어 먹었다. 시큼하고 찐득거리고 이에 달라붙어 침이 새어 나왔다. 원이와 젤리를 나눠 먹으며 생각했다. 나를 좋아할 리 없어.

우연히 그 동네에 다시 가면, 아니, 다시 갈 일을 억지로 만들어 원이와 마주칠 궁리를 하고 싶었다. 다시 산책을 하며 시덥잖은 이야기를 나누고 싶었다. 다신 볼 수 없다 생각하니 뜨거운 열기가 뿜어져 나오는 식기세척기 앞에 서고 싶었다. 설거지를 하며 원이가 가져오는 쟁반 위에 남겨진 음료수를 버리는 일 따위가 하고 싶어졌다. 온통 땀에 젖은 유니폼을 보송한 옷으로 갈아입고 피부에 닿는 선선한 바람을 느끼고 싶어졌다. 그러나 바람은 날이 갈수록 매서워졌다. 겨울이 처음도 아닌데 겨울은 늘 상상 이상으로 차가웠다. 온통 살을 꽁꽁 싸매고 칼 같은 바람이 들어오지 않게 옷을 두껍게 여몄다. 아르바이트를 마칠 시간에 학원을 마치고 집에 들어갈 때 나는 원이에게 전화했다.

11월 셋째 주 목요일, 나는 처음으로 원이를 이름으로 부르게 되었다. 코끝이 빨갛고 손과 발이 시린 밤. 목도리를 칭칭 감싸고 나서야 3개월 만에 원이를 만날 수 있었다. 처음으로 원이가 우리 동네에 왔다. 역부터 우리 동네 골목골목과 놀이터 벤치, 그네, 시소를 돌며 입김을 뿜었다.

"여기는 내가 다닌 학교야. 우리 동네엔 떡볶이집이 5개가 넘게 있다?"붕어빵을 사서 나눠 먹었다. "원아, 꼬리부터 먹어? 머리부터 먹어?""슈크림이랑 팥 중에 어떤 게 좋은데?"참으로 시덥잖은 이야기를 나눴다. 그건 내가 수능이 끝나고 원이와 제일 하고 싶던 일이었다.

원이는 내게 첫눈이 언제 올까 물었다. 나는 '비가 얼면.' 이라고 말했다. 그 정도는 자기도 안다고. 비는 쌓이지 않지만 눈은 쌓였다. 비는 땅에 스며 없어졌지만 눈은 녹으면서 질퍽거리는 더러움을 남겼다. "눈이 쌓이면 더러워져서 싫어. "원이는 실망하듯 그런 거 말고, 눈이 오면 날 보러 오겠노라고 말했다.

밤새 소복소복 눈이 쌓였다. 나무는 하얀 털 모자를 쓰고 세상의 소음들은 눈덩이가 흡수한 듯 조용했다. 원이는 첫눈이 오자 정말 나를 만나러 왔다. 제법 쌓인 눈길 중 아무도 밟지 않은 길 하나를 찾아 발자국을 남겼다. 눈이 쌓인 차 보닛에 손가락으로 하트 모양을 그려 넣었다.

원이와 놀이터에 도착했다. 원이는 어디서 난 건지 모를 꽃다발을 가져왔다. 안개꽃이었다. 하얀색 동그란 꽃송이가 눈송이 같았다. 원이는 만나자마자 주고 싶었지만 그냥 주기가 창피해 어떻게 줄까 연습하다 결국 놀이터에 숨겨 놨다고 했다.

원이는 눈을 꺼내 왔다. 나는 안개꽃 모양이 눈송이 모양 같다는 걸 처음 알았다. 원이가 그걸 알았을까.

원이는 눈에 보이지 않는 걸 보인다고 믿게 하는 사람이었다. 원이와 처음으로 퇴근을 함께하던 날, 정수기에서 물을 마시고 있던 원이는 그날 점장님이 시간 맞춰 퇴근하라는 말에도 일부러 남아 일을 도왔다. 내가 옷을 갈아입으러 화장실에 가는 걸 보고는 정수기에서 물을 몇 번이나 따라 마셨다고 했다. "내가 그때 얼마나 물을 많이 마신 줄 알아?" 먼저 퇴근하면 1층에서 친구에게 전화해 내 얘기를 했다고 한다. 우연이 아니었다. 원이는 나와 우연처럼 보이기 위해 얼마나 많은 타이밍을 재 봤을까. 그것뿐이 아니었다. 원이는 백화점 바로 앞에 있는 버스정류장에서 버스를 타면 한 번에 집까지 갈 수도 있었다. 그런데도 그 버스정류장을 지나치고 매번 내가 타는 버스정류장까지 같이 가줬다. 나는 해본 적 없는 일이었다. 원이는 나를 버스정류장까지 데려다 주는 것까지가 자기의 일이라고 했다. 그래서 다른 사람이 나를 데려다 준다고 할 때 같이 간 거냐고 묻자 원이는 되려 짜증 내며 '넌 어떻게 그걸 그냥 알겠다고 해?'라고 물었다. 내가 대답도 하기 전에 자기가 먼저 대답했으면서.

나는 다시 물었다.

"원아, 넌 그때 나를 좋아한다고 생각한 거야?"

"아니. 나는 처음부터 알았는데."

궁금했다. 자기 마음의 확신은 어떻게 하면 의심하지 않고 바로 알아볼 수 있는 건지.

*

원이를 만나고부터 원이는 매일 날 보러 왔다. 원이는 나와 헤어지면 바로 보고 싶다는 문자를 보냈다. 방금 봤는데도 어떻게 바로 또 보고 싶을 수 있는 걸까. 원이가 신기했다. 보고 싶다는 감정은 뭐지. 나는 뜨거운 식기세척기 앞에 서고 싶다는 생각을 다시 한번 상기했다. 같이 있지만 원이가 주방에 들어와야 원이의 얼굴을 볼 수 있던 때말이다.

"원아, 너는 내가 왜 좋아?"

"그냥. 너는 나를 왜 좋아하는데?"

"네가 날 좋아하니깐."

셀 수 없이 많이 물었던 질문이었다. 나는 무언가를 좋아하는데 많은 이유를 갖다 붙였다. 원이는 내가 그냥 나라서 좋다고. 이유 같은 건 없다고. 무언가를 사랑하는데 이유 같은 건 필요하지 않다고 했다. 나는 그 말을 이해하는 데 시간이 걸렸다. 나는 원이에게 내가 좋은 이유를 100가지나 대보라고 했다. 그럼 원이는 나에게 내가 원하는 구체적인 이유를 대어줬는데 그러면 나는 마음이 한결 편했다. 내 마음은 원이가 확인시켜줄 때마다 보란 듯이 딱 한 컵씩만 커졌다. 반면 원이는 나를 마음껏 사랑했는데 나는 그게 못내 부러웠다. 마음껏 퍼다 붓는 사랑이 나의 컵에 부어지는 동안 나는 그게 무서워 꼭 한 발을 빼고 있으면서 원이의 대답만을 갈구했다.

그러다 원이는 언젠가 나를 좋아하는 것이 맞냐는 질문을 했다. 자기는 매일 보고 싶다고, 좋아한다고 표현하는데 너는 왜 나를 좋아하는 것 같지 않느냐고. 대답하기 어려웠다. 원이를 좋아했으니깐. 다만 원이가 애정표현을 할 때마다 뭐라 대답해야 할지 몰라 다른 이야기를 꺼내거나 얼버무린 이유를 댈 수 없었다. 단지 나에게 해본 적 없는 민망한 일이라는 걸 말하기 창피해서.

그래서 웃기게도 난 널 좋아하는데 왜 그걸 몰라주느냐며 그 말은 내게 상처가 된다고 말했다. "좋아하니깐 널 만나지."라는 말 밖에 할 수 없는 내가 우습게 느껴졌다. 원이의 단순한 투정을 알아차리지 못한 채 감정 표현의 서투름을 솔직히 고백하지 못해 결국 우린 다퉜다.

원이의 솔직함은 내가 가지지 못한 비싸고 귀한 것이었다. 원이는 내게 그 비싸고 귀한 것을 당연하듯 자랑했고, 나는 그걸 가지지 못해 잘난 원이를 깎아내렸다. 노력하지 않아도 가질 수 있는 그 고귀함을 내가 어떻게 갖겠니.

원이의 표현 방식은 직선에 가까웠고 내가 느끼는 감정은 곡선 같았다. 구불구불 꼬여 있어 손을 대고 따라가야 알 수 있었다. 나조차도 알아보기 어려웠다. 그래서 내 감정은 원이에게 항상 미로같이 느껴졌다. 그 선의 길이는 모양이 달랐지, 길이가 다르지는 않았다. 나는 그렇게 생각했다. 그렇지만 원이는 항상 내 감정의 선이 짧다고 생각했다.

아무 날도 아닌 날. 원이와 다툰 다음 날, 원이가 두 번째로 내게 사다 준 꽃다발은 미안하다는 사과의 꽃다발이었다. 원이는 내게 미안하다며 안개꽃과 장미꽃을 선물해 주었다.

"수국은 지금 안 나온대. 그래서 못 샀어." 원이가 멋쩍게 웃었다.

수국은 꽃집을 지나가다 내가 스치듯 좋아한다고 말한 꽃이었다. 그건 여름의 꽃이었다. 사실 그 꽃은 장미처럼 흔한 꽃이 아니어서일 뿐, 유별나게 제일 좋아하는 꽃 같은 건 아니었다. 그것도 모르고 원이는 겨울에 여름의 수국을 주고 싶어 했다.

첫눈을 꺼내 오는 걸로는 모자라 이 추울 때 여름을 갖고 오려 하다니.

안개꽃 사이에는 빨간 장미 세 송이가 파묻혀 있었다. 선물 받은 꽃다발을 집에 가져가 물에 꽂아 넣으려는데 안개꽃 사이에 꽂힌 장미는 잘 꺼내지지 않았다. 안개꽃의 줄기가 그물망처럼 생겨 서로 뒤엉켜 있었다. 안개꽃의 생김새는 눈송이 같았는데 줄기는 꼭 거미줄 같았다. 자세히 들여다봤지만 아무래도 뒤엉켜있어 풀기 어려웠다. 그래서 풀지 못하고 그냥 물에 담가 버렸다. 넌 뭐가 미안하다는 걸까. 꽃다발을 선물해야 할 사람은 바로 난데.

*

나는 원이가 나에게 얼 만큼 부을 수 있는지 항상 팔짱 끼고 지켜봤다.

원이와 깊은 사이가 되어 갈수록 원이의 확신이 필요했다. 내 마음이 진심인지 알 수 없어 도리어 원이를 의심했다. 그건 나의 오랜 습관이었다. 사람에게 기대하지 않는 것. 혹시 모를 불행에 대비해 마음의 준비를 하고 있는 것. 실망하지 않게끔 내 감정을 시험해 보는 일. 스스로 해오던 일을 원이에게도 하고 있었다.

마주치는 모든 사람에게 서려 있는 모종의 두려움. 나의 마음속에 강하게 자리 잡고 있던 것. 난 알게되었다. 내가 지독히 징글맞은 회피형 인간이라는 걸.

원이가 직간접적으로 내 감정을 집요하게 물을 때면 대답하지 않는 쪽으로 흘렀다. 그리고는 대답 없음도 대답이라고 말했다. 묵묵히 원이에게 내 감정을 전가하지 않았다. 원이를 애달프게 했다. 우려했던 일이었다. 원이와 만나며 불쑥 생겨버리는 감정의 높낮이를 인정하지 않고, 나에 대한 확신만 얻은 후 정작 자기가 대답해야 할 차례에는 쏙 피해버리는 우중충한 사람.

원이와 처음으로 새로운 감정들을 마주치는 순간마다 찌릿했다. 원이가 나를 좋아하는게 맞냐며 물을 때, 같은 마음을 가지고도 서로를 상처 줄 수 있다는 걸 깨달으며 심장이 저릿했다. 그리곤 도망치고 싶어 졌다. 원이가 내 마음 속에 눈처럼 쌓여서 언젠간 녹아 없어질까 봐. 원이의 확신과 마음을 얻고 싶으면서도 점차 깊어지는 관계는 깨질까 불안한, 나조차도 이해할 수 없는 감정들을.

원이는 내게 어디까지 쏟아 부을 수 있을까.

*

아파트 단지 키 작은 나무에는 반짝이는 전구들이 깜빡깜빡 빛을 내고 바닥은 하얗게 얼어 발길을 조심히 해야 하는 날이었다. 원이는 내게 크리스마스에 놀이공원에 가지 않겠냐고 물었다. '크리스마스?' 원이는 일 년 중 크리스마스를 가장 기다렸다. 11월부터 캐럴을 흥얼거렸고 나와 처음 보내는 크리스마스를 기대했다. 놀이공원은 원이가 제일 좋아하는 장소였다. 어렸을 때부터 가족과 연간 이용권을 끊고 다닐 정도로 자주 다녔다고. 놀이공원에서 흘러나오는 신비로운 노래와 크리스마스가 주는 분위기를 아느냐고. 잔뜩 들뜨고 설렌 얼굴로 자기가 놀이공원을 얼마나 좋아하는지 읊었다. 나는 사람 많고 기다리는 건 딱 질색이라며 거절했다. 원이는 풀 죽은 얼굴로 실망했다. 나는 우리 가족이 놀이공원 같은 델 가본 적이 없다는 걸 잊고 있었다. 나도 어릴 땐 놀이공원 같은 델 좋아했던 것 같은데. 원이는 내게 놀이공원에 가주면 젤리를 사주겠다고 회유했다. 크리스마스에 난 무얼 했더라.

'원아, 난 놀이공원 싫어. 크리스마스도 아무 의미 없어.'

12월 25일. 원이가 우리 집에 오기로 했다. 출발한다는 연락을 받고 얼마 지나지 않아 생각보다 빨리 원이가 집 문을 두들겼다. 하얀 입김을 내뿜으며 설레는 표정으로 원이가 들고 있던 건 머리가 대단히 큰, 아주 커다란 인형이었다. 자기의 몸집만 한 인형을 들고 있는 원이의 차가운 얼굴이 발그레했다. "이게 뭐야!" 나는 놀란 얼굴로 원이가 들고 있는 인형을 안았다. "택시 타고 왔어."원이는 인형이 너무 커서 택시를 타고 왔다며, 문안에 머리를 넣기 어려웠다는 이야기를 자세히 들려주었다. 어떻게 인형을 사게 됐는지까지도 신나서 알려주었다. 꼭 어린아이 같았다. 이렇게 커다란 인형은 살면서 처음 받았다. "이렇게 큰 걸..."우리 집엔 고작 손바닥 2개를 합친 크기의 인형밖에 없었다. 언젠가 갖고 싶던 몸집만 한 인형을 원이 덕분에 갖게 되었다.

그날 원이와 손을 잡고 마트에 장을 보러 갔다. 카트를 밀며 먹고 싶은 걸 담았다. 수박 젤리, 계란, 버섯, 양파. 요리할 재료도 담았다. 꼭 결혼한 신혼부부 같다며 서로 웃었다. 내가 해줄 요리는 오므라이스였다. 오므라이스는 내가 예전에 처음으로 엄마 대신 만든 요리였다. 녹인 버터를 계란에 풀어 버터 향이 진동했다. 원이는 계란에 버터를 넣는 건 처음 본다며 신기해했다. 볶음밥을 예쁜 그릇에 담아 타원형으로 만들고 레몬색 계란을 얹었다. 그 위엔 토마토소스를 얹고, 장식용 파슬리도 솔솔 뿌려주었다. '나는 케첩 뿌린 오므라이스만 먹어봤는데!' 원이가 말했다. 원이와 부드럽고 몽글몽글한 계란을 갈라 먹으며 계란이 유독 잘 만들어졌다고 생각했다. 원이와 처음 나눠 먹은 나의 요리였다.

촉촉한 오므라이스와 부드러운 솜털의 감촉이 느껴지는 분명 특별한 날이었다.

우리는 거의 매일 만나면서도 헤어지면 잠들기 직전까지 통화했다. 평균 전화 시간은 약 4시간. 12시간을 끊지 않고 통화한 적도 있었다. 자기 전까지 통화하다 누군가 먼저 잠들었는지도 모른 상태로 잠이 들었다. 수화기 너머 원이를 깨우는 어머니의 목소리를 들으며 나도 깨어났다. 내 하루의 끝과 시작은 온통 원이었다. 최근 통화 목록도 전부. 끊기 아쉬워 누구 하나 "끊을게."라는 말을 하지 못하고 통화 기록 시간을 가장 길게 남긴 것도 원이었다. 그렇게 오랫동안 통화가 끊기지 않는다는 사실도 원이와 처음 알았다. 하루종일 원이와 연결된 사람은 나밖에 없었을 것이다. 그건 원이의 가족도, 친구도 아닌 바로 나였다. 원이도 마찬가지였다.

입시 원서를 작성해야 하던 때, 나는 원이와 놀고 싶지 않았다. 원이와 있으면 시간이 너무나 빨리 흘렀다. 학원에서는 째깍거리는 초시계를 보며 득달같이 몇 분 몇 초가 남았다고 알려주는데 원이와 있을 땐 누구도 시간이 얼마나 남았다고 알려주지 않았다. 이렇게 너랑만 시간을 보내도 되는 걸까.

집에 가는 길에 어김없이 원이의 프로필 사진을 눌러 전화를 걸었다. 원이의 프로필 사진은 나의 사진이었다. 나조차도 내 프로필 사진은 내가 아닌데 원이는 꼭 내 사진을 걸어놓았다. 원이를 아는 사람들이 나의 존재를 알 수 있었다. 가로등이 켜져 있지만 어쩐지 어둡고 깜깜한 골목길을 걸어가며 원이와 하루 일과를 나누었다. 그건 내가 학원을 마치고 느끼는 조그만 낙이었다. 그 길은 혼자 걷는 길 같지 않고 원이와 걷는 길 같았다. 원이는 정수기 앞에서 날 기다렸을 때처럼 여전히 나를 기다리고 나의 시간에 맞춰 스케줄을 짰다. 자기의 일정 가운데 나를 만나는 일을 가장 중요한 일로 쳤다. 다만 나는 그러지 못했다. 대학에 합격하는 게 원이와 보내는 시간보다 훨씬 중요했으니까. 시간은 공평하게 흐르지 않았다. 내가 원이에게 쏟는 시간보다 원이가 내게 쏟는 시간이 비대하게 차이 났다.

원이의 꿈은 군인이었다. 원이는 원래 자신의 계획을 나에게 들려주었다. 원이의 계획은 1학년을 마치고 바로 군대에 가는 것이었다. 마음이 차가워졌다. 무언가 떨어지는 소리가 귀에 생생히 들렸다. 심장은 인식하지 않아도 원래 뛰고 있는데 이상하게 그걸 느끼면 귀에서도 쿵쿵대는 소리가 들렸다. 기회라고 생각했다. 원이와 더 깊어지기 전에 끝낼 수 있는. 내 마음이 걷잡을 수 없게 커지기 전 우리가 멀어질 수 있는 타이밍이라고 인식하면서도 마음은 그렇지 않았다. 나만 원이의 마음을 쥐고 있다고 생각했는데 원이도 내 마음을 쥐었다 폈다 할 수 있었다. 나는 가라고 말했다. 원이는 내게 네가 그렇게 말할 줄 알았다며 그럼 우리는 어떻게 되냐고 물었다. '헤어지게 되겠지.' 아무렇지 않은 표정으로 말했으니 원이는 내가 담담해 보였겠지만 실은 그렇지 않았다.

다행스럽게도 원이의 우선순위는 나였다. 원이는 결국 군대에 가는 걸 미뤘다. 나는 더더욱 대학에 합격해야만 했다. 원이는 그 시기 운전면허 학원에 등록했고, 성인이 되어가는 한단계 한단계를 차근차근 밟아가고 있는 것처럼 보였다. 그러니까 원이와의 격차가 실감 났다. 운전면허를 딴다는 것이 아니라 으레 사회적으로 지나야 하는 코스를 스스로 운전해가는 것처럼 보였다. 반면 나는 어디에도 소속되지 못한 채 실패자가 된 것 같은 기분을 지울 수 없었다. 꿈이 있다는 것도 부러운데 그것을 나 때문에 미룰 만큼의 사랑을 가진 것도 부러웠다. 내가 한 번에 대학에 붙기만 했어도.

원이는 나보다 뭐든 많이 먹었다. 그건 어쩌면 나보다 두 배 큰 원이에게 당연한 일이었지만, 시리얼을 큰 대접에 가득 담아 우유를 부어 먹는 모습은 왠지 묘하게 느껴졌다. 시리얼을 작은 볼에 담아 먹던 나는 원이에게 이렇게 많이 먹느냐고 묻자 '나는 원래부터 이렇게 먹었는데?' 라며 귀엽게 우물거렸다. 그리고는 시리얼을 더 부어댔다. 원이와의 삶이 나와 사소한 부분부터 다르다는 걸 차츰 느껴가고 원이가 내게 가득 부을 수 있는 사람이란 걸 의심하지 않고 받아들일 수 있을 땐 나는 원이에게 그만큼 줄 수 없는 사람이란 걸 알았다. 우리는 모르는 사이가 되어있었고 시간이 무참히 흘러 내가 그걸 담아내지 못했던 사람이란 걸 알게 되었다.

*

우리가 사귄 지 1년이 조금 모자랄 때 원이는 미뤄둔 군대에 가게 되었다. 원이와 날짜를 세어가며 입대날을 함께 기다릴 때 원이는 매번 아쉬워했다. 나는 그게 실감 나지 않아 아주 덤덤했다. 원이와 많은 추억을 쌓았다. 남자친구와 처음 가보는 바다 여행. 산 경치가 보이는 휴게소에서 먹던 우동. 그렇게 조르던 놀이공원. 1시간 넘게 기다리던 돈가스 가게. 독한 소주와 이상하게 생긴 닭발을 억지로 먹어보던 날. 제목도 기억 안 나는 대학로의 연극. 나 몰래 사온 케이크와 꽃다발. 같이 보낸 생일들. 그런 건 전부 원이와 하고, 원이에게 배웠다.

서로를 전부 다 안다는 착각 속에 전에 몰랐던 새로운 모습이 보이면 실망하고 이해가 안 된다며 날카로운 말로 싸우기도 했다. 먼저 사과하는 건 항상 원이었다. 언제나 내가 좋아할 만한 음식과 간식들을 가지고 나를 달랬다. 떡볶이를 먹으며 화해했다. 나는 원이를 잘 웃겼다. 원이를 웃음에 빠트리고 우리는 웃음에 빠진 것처럼 숨도 못 쉬고 허우적거렸다.

원이의 입대 전날, 처음 보는 짧은 까까머리를 쓰다듬으며 애써 잘 어울린다고 거짓말했다. 금세 눈시울이 붉어져 어떻게 못 볼 수 있느냐며 아이같이 슬퍼하는 원이에게 괜찮다고 위로를 건넸다. 시간은 빨리 간다고. 원이가 생활관에 붙여둘 거라며 뽑은 나의 사진들을 보여주며 그간의 추억을 회상했다. 평소보다 이른 시간에 원이와 헤어지고 집에 도착해 앞으로 느낄 허전함을 생각했다. 원이는 내게 냉장고에 편지를 넣어 놨다고 했다. '냉장고에 편지를?' 편지를 읽으며 눈에서 뜨거운 물이 튀어나왔다. 내가 울게 될 줄 몰랐다. 군대에서도 내 걱정을 하고 있을 원이의 편지 속 말들은 내가 그동안 원이와 떨어져 있게 된다는 걸 억지로 생각하지 않으려 했단 걸 느끼게 했다. 눈물방울이 떨어지며 나는 원이와 잠시도 떨어져 있고 싶지 않다고 생각했다. 원이와 만나며 제일 많이 운 날이었다.

원이가 생활관에 들어가고 나는 남자에게 제일 많은 편지를 써봤다. 매일 하던 전화를 못 하고 서로의 일상을 나누지 못할 동안 하고 싶은 말들과 마음을 눌러 담아 일주일 동안 13장의 편지를 써냈다. 문을 두들기는 우체부에게 원이의 편지도 건네받았다. 우표를 덕지덕지 붙인 편지였다. 바깥의 찬 공기와 함께 흘러들어오는 설렘은 택배 같은 것과는 차원이 달랐다. 먼 곳에서 온 편지를 하나하나 열 때마다 어떤 글이 담겨있을지 궁금했다. 매일 한 장 씩 써낸 원이의 편지는 참 재밌었다. 원이는 잠들기 전 우리가 여행을 떠났던 곳을 시간 순대로 거슬러 오르다 보면 어느새 잠이 들었다고 한다. 편지는 우표를 여러 개 붙이면 등기로 전환되어 나에게 빨리 도착했는데 자기의 마음이 빨리 닿길 바라는 원이의 마음을 우표를 보면 알 수 있었다. 원이는 홈페이지에 올라간 롤링페이퍼에 내 이름을 쓴 것을 봤느냐고 물었다. 보았다. 작게 적힌 내 이름 옆 '사랑해!' 와 '모두들 사랑해!' 라고 적은 반듯한 글씨. 원이는 사랑을 가득 품고 있었다.

원이는 잘 배운 사람이었다. 나를 가장 잘 이해해주고 공감해주는 다정함을 가지고 있었다. 원이는 아버지를 가장 존경했고, 아버지는 원이의 어머니를 가장 존경하고 사랑했다. 만약 가족끼리 외식이라도 한다 치면 엄마의 의견이 가장 중요했다. '어머니는 우릴 위해 가장 많이 희생하시는 멋진 분이셔.'라는 말을 듣고 자랐다. 몹시 유복했다. 부를 가진 게 아니라 존엄하고 품위가 있었다. 서로를 사랑하는 사이에 태어나 당연히 사랑받는 아이였다. 세상에서 제일 든든한 내 편을 가지고 있었다. 절대 뒤돌지 않을 거라는 믿음이 있는 온전한 관계속에서 바르게 자랐다.

내가 갖지 못한 일평생을 가진 사람에게 나는 언제나 졌다. 사랑을 듬뿍 받은 그런 앨 당연히 좋아했지만 언제나 질투가 났고 아무 노력하지 않아도 상처럼 받은 넉넉한 마음과 여유가 부러울 뿐이었다. 나는 사랑을 의심하고 확인하며 이렇게까지 못난 나도 사랑할 수 있는지 검열했다. 내 모습이 들키지 않기를 간절히 바라면서도 알아주길 바라고 내 감정을 이해하지 못할 걸 알면서도 모른다고 무시했다. 그렇게 희생적이지도 못했으며 사람을 잘 기다리지도, 넓은 마음씨로 모든 걸 이해해주지도, 어떤 모습도 사랑해줄 수 있는 마음 같은 건 애초에 받아본 적 없었다. 그래서 걸핏하면 토해냈다. 다시 태어나야만 가질 수 있을 것 같았다. 내 몸 안에 세포가 전부 다 새것이 된다면 가질 수 있을까. 내가 느꼈던 열패감 같은 건 원이는 평생 모를 거다. 원이를 만난 걸 후회했다. 안부도 묻지 못할 만큼 먼 사이가 될지 몰랐다. 원이는 나의 제일 친한 친구였는데. 다시는 새로운 사람과 이렇게 친해지지 말아야지. 언젠가 제일 먼 사람이 되어 있을 테니깐.

우리는 두 번의 여름을 보내고, 세 번째 여름을 함께 하지 못했다.

나란히 누워 일정하게 돌아가는 선풍기 바람이 다시 내 쪽으로 오길 기다렸다. 원이가 나의 이름을 부르며 말했다. "우리가 곧 헤어지게 될까?"목울대가 부어 침을 삼키기 어려웠다. 고개를 회전하는 선풍기 날갯소리가 들렸다. 등을 돌리고 흐르는 눈물을 닦지 못한 채 침을 힘주어 꾹 삼킨 뒤 말했다.

"아니야."

우리는 흘러나오는 노래를 한참 동안 가만히 듣고만 있었다.

'야 나랑 놀자 어디 가지말고 나랑 아니면 누구랑 사랑할 수 있겠니 아마도 우린 오래 아주 오래 함께할 거야' 원이가 내게 하는 말 같았다.

나는 비를 좋아했다. 원이를 만나고부터는 눈이 오길 기다렸다. 눈은 눈에 보였고, 하얗고, 쌓였다. 나는 원이가 시리얼을 가득 담아 먹는 만큼 먹지 못했다. 원이가 내게 부어주는 만큼 받아먹지도 못했다. 양을 늘리기도 힘들었다. 내 볼은 여전히 작았다. 원이는 나에게 과분했다. 나에게 넘쳐 흐를 만큼 부어주었다. 가져본 적 없는 사랑을 분에 넘치게 받고, 그 특별함을 배웠으니 확실히 운이 좋은 편이었다. 원이는 나를 무척 띄어 주었다. 보고 싶다는 말을 입에 달고 살았다. 무조건 예쁘다고 칭찬했다. 내가 뭐라도 된 듯 다 잘한다고 치켜세워주었다. 그런 사랑은 처음이었다. 실수로 너무 많이 쏟은 소스처럼 흘러내렸다.

원이가 내게 너 없이 어떻게 사냐며 숨을 헐떡이며 오열할 때 원이가 부대 안에서 너무 주목받지 않을까 걱정했다. 나 때문에 관심병사가 되면 어쩌지. 나는 원이에게 넌 나 없이도 살 수 있다고 말했다. 그 말을 들은 원이의 마음은 얼마나 무너졌을까. 그땐 원이의 마음을 헤아릴 수 없었다. 내 마음이 너무 부족했으니깐. 원이와 더는 관계를 지속할 수 없다고 생각했다. 원이보다 한참 모자란 마음으로 원이를 질투하며 못난 모습을 가진 나를 보는 게 견딜 수 없이 짜증 났다. 원이가 좋은데 원이를 만나는 내 모습은 싫었다. 원이는 착한데 나는 나빴다.

*

원이와 헤어지고난 다음날 아무렇지 않게 친구의 강아지와 함께 공원에 나갔다. 친구의 강아지는 집 밖에 처음 걸으러 나온 새끼 강아지였다. 세상에 나온 지 얼마 되지 않아 얼떨떨한 모습이 역력했다. 순진무구한 표정으로 짧고 뭉툭한 다리를 땅을 디디는 모양새가 어찌나 귀여운지. 깡총 거리며 나에게서 멀리 떨어지는 모습을 보며 아이를 낳은 어미의 마음은 어떨까 생각하게 됐다. 어디 부딪히지는 않을까 제대로 걸어라. 내 품속에 고이 간직하다 내 힘으로 세상밖에 꺼냈던 생명이 이제는 나의 눈길에서 멀어져 혼자 걷는 모습을 바라볼 때 마음은 어떨까. 중학교 입학식 날, 처음 교복을 입고 학교로 향하던 날 배웅하던 엄마의 얼굴이 떠올랐다. 엄마는 학교 앞까지 데려다주지는 않고, 어느 문구점 내리막길 앞에서 이제 혼자 가라고 인사했다. 그때 엄마는 혼자 걷는 나를 한참 주시했다. 원이를 가장 아낄 원이의 엄마에게 나는 너무 미안해졌다. 얼굴도 모르는 여자아이 하나가 자신의 핏덩이를 세상이 끝날 듯 울며불며 매달리게 했단 걸 알면 어땠을까.

3개월 뒤 견디지 못한 쪽은 오히려 나였다. 난생처음 걸려보는 독감이었다. 내가 아무 말도 하지 못했던 아기 때 걸린 적도 있겠지만 내가 기억하는 한 처음이었다. 죽을 듯이 아팠다. 왜 감기에 독이라는 단어가 붙은 지 알 것 같았다. 온몸엔 불덩이처럼 열이 나고 매운 기침이 수도 없이 튀어 나와 잠에 들지 못했다. 처음으로 엄마에게 집으로 와달라고 전화했다. "엄마. 나 너무 아파. 병원에 가야 할 것 같아."엄마와 아주 어릴 적부터 다녔던 동네 이비인후과에 갔다. 바래진 벽지와 낡은 동화책, 커봤자 딱 두 평 밖에 안 될 법한 노후된 놀이방이 보였다. 입을 벌려 부은 목구멍을 의사에게 보여주고 증상을 말했다. 기침이 나와요. 두통이 있어요. 토할 것 같아요. 의사가 구토감이 드느냐고 재차 물어본 후 그렇다고 하자, 독감 검사를 해보자고 키트를 가져왔다.

집에 돌아와 원이에게 전화를 걸고 싶었다. 죽을 것 같다고. 내가 진료를 받을 동안 죽을 사 온 엄마는 오랜만에 식사를 차려주며 말했다. 그렇게 아프면 병원을 가지 그랬냐고. 그 말을 묵묵히 들으며 아무 말도 하지 않았다. 죽을 삼키는 게 팽팽히 늘린 고무줄을 목구멍에 튕긴 것처럼 따갑고 고통스럽게 느껴졌다. 사경을 헤맬 정도로 어지럽고 몸이 무거워 아무것도 하지 못했는데 병원을 어떻게 가. 이게 다 엄마 때문이야. 원이와 헤어진 것도 엄마 때문이고, 대학에 떨어진 것도 그냥 모든 게 다 엄마 때문이야. 엄마가 날 이렇게 만들었어. 그렇게 말하고 싶은 걸 꾹 참고 죽을 말끔히 해치웠다. 엄마는 말했다.

"먹기 싫어도 먹어. 못 먹겠어도 먹어. 이불도 정리해. 어디 안 나가더라도 씻고 기본적인 건 해." 그렇게 말하곤 나갔다. 엄마는 독했다.

엄마는 뭐든지 자기 일이 최우선이었다. 도대체 무슨 일을 하는지 알 수 없었지만, 눈이 오나 비가 오나 매일 그 일을 한다는 건 알았다. 그래서 내 학창 시절 학예회, 운동회, 졸업식 같은 게 열리는지 마는지는 관심도 없었다. 가끔 내 나이를 잊고 한 번씩 물었다. 난 엄마의 근면 성실함이 싫었다. 항상 죽은 표정으로 나가면서도 꼭 치장하고 나가는 모양새도 꼴 보기 싫었다. 미래에 대한 생각 한 톨 없이 골몰한 것도 싫었다. 품위가 없어서 싫었고 억척스러워서 싫었다. 어디가 어떻게 아픈지 왜 아픈 건지 묻지도 않는 엄마의 존재 자체가 창피스러웠다. 우울했다. 엄마를 존경하고 싶은데 존중하지 못했다. 엄마를 좋아하고 싶은데 좋아하지 못했다.

원이는 갖고 싶은 것은 꼭 가졌다. 물건이든, 사람이든, 자기가 노력하면 뭐든 가질 수 있다고 믿었다. 순수했다. 나는 원이에게 평생 모르고 살 수도 있을 법한 비참한 마음을 안겨줬다. 수준이 안 맞아서 못 만나겠어. 우리는 너무 달라서 못 만나. 원이는 분명 나를 미워할 거야.

*

그동안 나는 상처를 어루만지지 못해 그냥 울었다. 원이를 부를 수도 없고 볼 수도 없고 만질 수도 없다는 사실에 매번 놀라며 바닥에 엎어져 울거나 벽에 기대 울었다. 아주 엉엉 울었다. 원이가 내게 울음을 쏟아냈던 것처럼 울어 댔다. 그럴 때마다 벽과 바닥은 서늘했다. 아무도 울음을 그쳐주지 않고 원이가 내 앞에 나타나지 않는다는 사실이 현실이라 말하는 것처럼 차가웠다. 어쩔 땐 너무 원망이 되어 울었고, 어쩔 땐 원이에게 들려주고 싶은 이야기가 있어서 울었다. 버스에서 울컥거리는 마음을 심호흡하며 참아내고 버스에서 내리자마자 집으로 가는 길목마다 울었다. 내가 이렇게 울고 있는데 너는 알까. 내가 이렇게 울고 있는 걸 알면 분명 네가 날 달래러 올 텐데. 내가 이렇게 우는 걸 모르고. 그래서 넌 안 오는 거지?

원이를 만난 시간만큼 지나면 당연하고도 분명하게 원이를 잊을 수 있을 거라 생각했는데 그건 내 오만이었다. 사람을 한 번 알게 된 이상 평생 잊히지 않았다. 그 사람은 드문드문 나를 찾아왔다. 사과 껍질을 깎을 때나, 자두를 씻을 때. 봉투의 매듭을 쉽게 푸는 방법을 떠올릴 때나 우리가 같이 들었던 노래를 길거리에서 듣게 될 때면 어김없이 떠올랐다.

쉽게 꿈과 목표를 찾고 이룰 줄 알았던 어린애의 순진한 기질은 차례대로 어긋나며 못된 마음을 먹게 했다. 대학에 한 번에 가지 못한 건 아무것도 아니었다. 설령 대학을 가지 못해도 졸업을 못해도 그런 건 아무 상관 없었다. 나는 당시 경험해 보지 못한 큰 사랑을 마음껏 먹어 치울 편안한 의자에 기꺼이 앉지 못했고, 남들과 비교하며 아직 나가지도 않은 진도를 두려워했다. 겁내는 건 아무짝에도 쓸모가 없었다. 원이라는 첫 관계에서 내 마음 하나 다치지 않고 사랑을 갈구하기만 했던 점. 언제나 우위에 있고 싶어 한 점. 함부로 꺼내 주지 못한 것. 원이와의 사이도 앞으로의 내 길도 견고하지 못한 채 계속해서 흔들릴 거라는 어리석은 생각. 갈망하는 것을 단숨에 손에 넣을 수 있을 거란 무지함이 서로 만나 박살 날 때마다 나는 깨어지고 커졌다. 그것들이 충돌하며 균열을 만들 때 결코 균형이 맞춰진다고는 생각지 못했다. 성급하게 세상을 좁은 곳이라 착각했다. 늘려갈 생각 하지 않았다. 그 어리석은 조급함이 관계와 단계를 건너뛰고 완성을 추구할 때 고통을 맛보았다.

사랑해라는 말이 원이의 입에서 나올 때 '나의 무얼 사랑한다는 거지?' 라고 생각했다.

훗날 쥐 콩만 한 아기들을 보며 알게 되었다. 누워서 손가락을 쪽쪽 빨며 나를 쳐다보는 아기의 까만 눈알. 내가 손을 내밀면 작디작은 손으로 내 것을 쥐었다. 손을 잡고 싶은 것. 안고 싶은 것. 머리를 쓰다듬고 싶은 것. 예쁘게 보이는 것. 귀엽게 보이는 것. 계속 보고 싶은 것. 그니까 사람들은 이런 걸 다 알고 있었구나. 뭐가 그렇게 어렵게 느껴졌는지. 난 그게 정확히 무엇인지 늘 이유를 찾았었다. 왜? 그러니까. 왜? 원이에게 내가 왜 좋은지 이유를 물을 게 아니라 사랑이 뭐냐고 물어봤어야 했던 걸까. 그럼 원이가 친절하게 말해줬을까. 계속 같이 있고 싶은 거야. 계속 보고 싶은 거야. 그런 거라면 지금의 나는 많은 것을 사랑하고 있다. 조금씩 다 사랑하고 있다.

내가 흠모하던 사랑은 커다랗고 위대한 것은 아니었다. 그저 아끼는 마음이었다. 내가 아끼는 대상이 어디 하나 생채기 나지 않았으면 하는 작은 조바심을 끌어안고 꼭 지키고 싶은 마음. 난 원이를 사랑했을까. 재고 따지고 시험해 보는 일 따위는 결코 사랑이 아니었다. 누가 마음이 더 큰지 확인해 보고 싶은 마음도 사랑이 아니었다. 그건 그냥 나를 안심시키기 위한 얄팍한 속임수였다. 나는 원이를 좋아했지만 원이의 사랑에 비해서는 거짓에 가까웠다.

*

허나 중요한 건 이제 원이가 아직도 시리얼을 그렇게 많이 먹는지, 초콜릿을 한 번도 쉬지 않고 단번에 먹어 치우는지, 일 년 중 크리스마스를 가장 기다리는지, 매년 놀이공원에 찾아가는지, 아직도 닭강정을 좋아하는지, 아메리카노를 마실 수 있는지 모른다는 사실이다.

나는 이제 커피를 마실 수 있고 억지로 잠을 깨며 업무를 시작한다. 나는 너를 만나 인생이 바뀌었다. 내 인생에 가장 큰 터닝포인트는 바로 너였다. 나는 너의 잘할 거라는 열렬한 응원을 먹고 자라 무엇과도 바꿀 수 없는 가장 사랑하는 일을 찾았다. 덕분에 꿈도 생겼다. 언제나 깊은 사랑과 위로를 전해주어 사랑을 알며 비싸고 귀한 것을 배웠다. 그리하여 평범한 날들이 특별해지고 다가올 일들을 기대하며 살고 있다. 혹시 모를 불행에 대비하는 삶보다 예기치 못한 행운이 찾아올 거라 믿는 허황되고 멍청한 꿈이 더 달콤하다는 것도 안다.

미안했다. 아니다. 네가 진심으로 듣고 싶었을 말. 나는 너를 아주 많이 좋아했다. 네가 느꼈을 마음보다 훨씬 더. 정성껏 표현하지 못해 나는 오랫동안 후회했다. 그래서 꼭 잘 살라고. 너와 어울리는 반듯하고 비싼 귀한 것들과 어울리며 모두를 사랑하며 지내고 있을 거라 믿어 의심치 않는다.

산들바람에도 휘청이는

이가흔

산들바람에도 휘청이는

중학교 이후의 내 기록은 온통 까만 밤뿐이었다. 밤은 위험하고 낯선 것이 아니다. 그저 어두울 뿐이다. 내 기록이 가진 건 폭력적인 슬픔이 아니었다. 아무리 질문해도 답이 돌아오지 않는 미지의 어둠이었고 하찮고 별것 아닌 우울이었지만 그게 내 좁은 세계엔 전부였다.

실수가 두려워서 메모를 시작했다. 내 기억을 믿을 수가 없었다. 그 기록이 익숙해질 때 즈음엔, 나를 기억하기 위해 기록을 했다. 잊고 나면 아쉬워질 것들을 빠짐없이 적었다. 그날의 나는 어떻게 살았는지. 누구와 밥을 먹고 무슨 옷을 입었는지. 기뻤는지. 슬펐는지.

과거의 슬픔은 쉽게 닳아 없어졌다. 가끔 예전 글을 꺼내보며 놀란다. 나 그렇게 힘들어했었나? 그 글을 쓰던 그때 난 생각했다. 아무에게도 말하지 않고 숨기던 내 감정을 나라도 기억해야겠다고. 미래의 나조차 기억하지 못하는 일이 된다면 없던 일이나 마찬가지니까. 그 누구도 알아주지 못한 감정들을 나 스스로도 기억하지 못하면 완전히 버려질 것 같았다.

그런 식으로 쓴 글이 메모장에만 천 개가 되어간다. 글을 쓰는 것의 원동력은 감정이었다. 아주 기쁘거나, 아주 슬프거나. 그리고 중학교 때쯤부터 난 대부분 슬펐다. 그래서 내 글들은 대체로 어둡다. 아무도 내 우울감을 몰랐으면 좋겠다고 생각하면서, 그리고 내가 쓰는 글들을 창피하게 여기면서 메모장에 꾹 눌러두고 있었다. 혹여 실수로 누군가에게 보이기라도 할까 봐 주어를 모두 빼먹거나 어떤 일 때문에 이런 글을 쓰는지 서술하지 않은 글도 많았다.

언젠가부터 그게 참 아깝다는 생각을 했다. 난 세상 어딘가에 나와 비슷한 사람이 있기를 간절히 바랐는데, 모두가 자신을 꼭꼭 숨기기만 한다면 서로의 존재를 모를 것 아닌가. 그래서 한 번쯤은 이런 글을 써보고 싶었다. 좀 행복해지는 날이 오면 내 글을 보여줄 수도 있겠지, 하고.

2016년. 사춘기?

2016년의 어느 날부터 일기에 우울한 내용이 도배되기 시작했다. 그전에도 몇 번인가 우울했던 적은 있지만, 누구나 으레 겪는 우울처럼 금방 사라졌고 이번에도 그럴 줄 알았다. 중학교 3학년이었다. 나는 그게 조금 늦게 찾아온 사춘기인 줄 알았다.

2016. 8. 26

사춘기가 그냥저냥 지나간 게 아니라 늦게 오는 건지도 모르겠다. 생명이라는 게 보잘것없이 느껴진다. 모든 종족이 사라져도 지구는 태양 주위를 빙빙 돌고 밤하늘의 별은 여전히 반짝이겠지. 나쁜 생각을 할 때는 내가 겪는 문제가 세상에서 제일 큰 것 같고 그렇다. 아닌 거 아는데 그래.

2017년. 아직도 왜 사는지 모르겠다.

고등학생이 되었다. 나는 아직도 우울했다. 참 희한한 일이었다. 나는 아무 일도 겪지 않았으니까. 큰 사건도 불행한 일도 굴곡도 없었다. 힘들 일 하나 없는데 힘들어하고 있었다. 그래서 내가 미웠다. 산들바람에도 흔들리는 내가 미웠다.

11살에 나는 말했다. "나이 먹기 싫어요." 나이를 먹을수록 짊어질 책임이 커질 것이다. 자라면 자랄수록 나는 불행해지겠지. 내 말을 들은 선생님은 하하 웃었다.

그리고 그 생각은 맞았다. 처음 그 생각을 했을 때 죽었어야 했다고 생각했다. 그다음 해에는 그렇게 후회했을 때 죽었어야 한다고 생각했다.

2017. 09. 26

야자가 끝나고 집에 돌아가는 길

학교를 나설 때, 아니면 버스를 탔을 때
그때에 피로감이 몰려온다.
왜 피곤하지, 왜 피곤하더라.

내내 졸음을 참고 열심히 필기하고
열심히 평소와 같은 쳇바퀴를 굴려서 그런 걸까
야자 때 안 자려고 노력해서 그런 걸까

그냥 내가 왜 사는지,
아직도 모르고 있어서 그런 걸까

버스에서 축 처져서는
매일 내가 왜 이러고 있는지
내가 왜 살고 있는지
나는 왜
그냥 모든 것이 왜 이런지
왜

매일 생각하지만 매일 모르겠다.

그냥 핸드폰 손에 꼭 쥐고서
멍하니 창밖을 보다가 멍하니 차 안을 보다가
창밖을 보다가 차 안을 보다가
문득 힘들어서 울컥거림이 솟아올라

나는 아무것도 안 한 것 같은데.
그냥, 7시 반에 일어나서

9시에 집에 오는 것밖에 없는데.

그래놓고 집에 가면 신 난다. 그냥 좋다.
그러면 가족들은 내가 학교 끝날 때부터 쭉 신 나 있었던 줄 알겠지

나는 지금 버스에서 내렸다.
벌써 발걸음이 가벼워지고 있다.

2018년. 끝이 없다

어느 날부터 교실에 가만히 앉아있을 수가 없었다. 불안하고 심장이 뛰었다. 수업시간 내내 시계를 쳐다봤다. 당장에라도 뛰쳐나가고 싶었지만 그럴 수가 없었다. 선생님이 최대한 이상하게 생각하지 않도록 수업 시작 30분을 기다렸다가 손을 들고 화장실에 가겠다고 했다. 화장실 구석에 앉아 또 시계를 바라보았다. 수업 중간에 나간 학생이 15분이 지나도록 안 오면 찾으러 오겠지. 나는 정확히 10분을 셌다. 그리고 반으로 들어갔다. 다시 쉬는 시간이 올 때까지 시계를 바라봤다. 그 짓은 다음 교시, 다음 날, 다음 달 그리고 다음 해에도 반복되었다.

2018. 02. 23
힘겨운 날

그날이 가장 일어나기 힘겨운 날이었어.

어느 평범한 새벽에
아무도 듣지 못하게 입을 틀어막고
이불을 뒤집어쓰고

방 안에서 나 혼자
비참하고 비참하게,
끅끅대며 울었던 그 날.

눈이 부을까
부은 눈을 사람들에게 들킬까
내일 일찍 일어날 수 있을까
어제와 같은 오늘을 억지로 살아야만 함을 깨달으며
괴로워하고 괴로워하며, 자괴감에 빠져 허우적대며 울었어.

나는 왜 이렇게 살아갈까
왜 어찌할 바를 모르고 가만히 서 있기만 하는 걸까
아무것도 하지 않고,
산들바람에도 휘청이고 발을 잘못 디디면서도
갈 데 없고 의지할 데 없이 서 있을까.

초록색 창에
자살하는 법이라는 다섯 글자를
예쁘게 예쁘게 눌러 적었다가 지워버렸어.

이 밤, 울며불며 발악해봤자
나는 내일 눈을 떠야 했기에
일상을 시작해야 했기에
웅크려 누운 그 자리에서
내 존재가 사라져 버리기를
처음부터 없었던 것처럼
조용히

조용히 사라져 버리기를

그저 간절히 바랐지.

그 날 아침은 정말 힘겨웠어.

결국 팅팅 부어버린 눈을 뜨고 말았거든.

평소와 같은 아침에.

2018. 12. 6

오늘도 해가 졌어

깜깜한 밤이야

이렇게 오늘이 가고 내일이 오겠지

내일은 오늘이 될 것이며

그 오늘엔 또 내일이 뒤따라올 거야

목요일이 오면 금요일이 오겠지

금요일이 오면 토요일이 오겠지

토요일이 오면 일요일이 오겠지

일요일이 오면 월요일이 오겠지

월요일이 오면 화요일이 오겠지

화요일이 오면 수요일이 오겠지

수요일이 오면 목요일이 올 거야

그렇게 또다시 목요일이 오면 금요일은 또다시 올 거야

해는 뜨고 지고

뜨고 지고

뜨고 지고

뜨고 지고

또 뜨고 지겠지

내일이 오고 어제가 가고
또 내일이 오고 내일이 오고 내일이 오고
나는 눈을
감았다 떴다 감았다 떴다

어느 날은 화를 내고
어느 날은 울기도 하며 조금씩 달라진 날을 살겠지만
큰 틀은 변하지 않을 거야
난 여전히 눈을 감았다 떴다 감았다 떴다 할 테니까

그리고 행복한 날은 오지 않을 거야
지금 같은 나날만 올 테니까

2019년. 성인이 되기 전에 죽어야지

가끔은 기쁜 날도 있다. 그런 기분 좋은 내가 싫은 날들도 있었다. 어느 날은 희망적인 문구를 썼다가도 어느 순간 진창으로 처박혔다. 이런 마음을 누군가 알아주면 좋겠다가도 모르기를 바랐다. 그런 날들이 몇 년째 반복되고 있었다.

방 청소를 하다가 구석에 처박혀있는 미니 다이어리를 찾았다. 초등학생 손에도 쏙 들어오는 500원짜리 문방구 다이어리였다. 뭐라 평가하기 어려운 난해한 낙서들 뒤에, 짧은 글이 쓰여 있었다. '2012년 모월 모일, 죽고 싶다. 왜 살지?'

초등학교 5학년 때도 이런 생각을 했었나 보다. 어쩌면 난 이런 기질을 타고난 게 아닐까? 그럼 내가 불행한 것은, 큰 사건도 불행한 일도 굴곡도 없이 혼자 불행해하는 건 처음부터 잘못 태어났기 때문인 게 아닐까? 이런 내가 계속 살아도 될까? 아무리 혼자 물어도 답은 하나로 돌아갔다.

2019. 6. 13

저 사람이 나를 언제까지 알까

지금 내 이 모습을 언제까지 기억할까

무슨 의미가 있을까

지금의 사람들에게 잘 보이는 것

스쳐 지나가는 사람들에게 친절히 웃어주는 것

괜찮다 고맙다를 습관처럼 내뱉는 것

흑역사를 두려워하는 것

밤마다 떠올리고 이불 차는 것

후회하는 것

계속 되새기는 것

상처 위에 상처를 상처 위에 상처를

굳은 딱지 위에 생채기를

돋아난 새 살 위에 흉터를

언제까지 의미가 있을까

전부 죽으면 그만인데

저 멀리 있는 이들은 알지도 못 한다

내 멍청한 행동을 더러운 표정을 실수를 고의를 어두운 역사를

그들도 자기 실수 덮는 것이 바빠 죽겠으니까.

어차피 기억하지도 못할 것들.

창피 주고 창피해하고 의미 없을 수도 있는 그런 멍청하고

허무하고 아무것도 아닌 것들.

2020년. 가만히 서 있고 싶었는데

몸이 크고 나이에 붙는 숫자는 커졌는데 나는 여전히 우울했다. 성인이 되었는데 어른은 못 되었다. 수능도, 대학도 내겐 오지 않을 미래 같았는데 어느새 대학에 와 있었다. 시간은 계속 흐르고 멈춰선 내 등을 떠밀었다. 한 칸 한 칸 벼랑 끝이 가까워졌다.

2020. 3. 6

그때 내 머릿속에는 항상 절벽이 있었다.

죽고 싶다는 생각이 들 때면 절벽이 떠올랐다.

어느 때엔 누군가 나를 그 끝으로 밀고 있었지만

어느 때엔 아무도 나를 밀지 않는데도 끝을 향해 걷고 있었다.

2020. 10. 22

꿈을 꿨다.

중 · 고등학생 정도로 보이는 여학생 하나가 휘청거리며 옥상 위에 서 있었다. 나는 비명을 질렀다. 금방이라도 뛰어내릴 것 같은 몸짓에 눈을 질끈 감고 반대쪽으로 도망쳤다. 몇 걸음 내딛지도 못하고 뒤쪽에서 나는 끔찍한 소리를 들었다.

미처 말릴 틈도 없이 다른 학생들이 옥상에 숨어 있다가 나타나 하나둘 밑으로 뛰어내리기 시작했다. 나는 멀찍이 서서, 불규칙한 박자로 무언가 박살나고 부딪치는 둔탁한 소리를 들었다.

눈을 떴을 땐 아침이었다. 알람이 울리고 있었다. 화면을 손가락으로 대충 긁어 알람을 끄고, 시계를 보았다. 10시.

10시 반까지 수업이 있었다. 지금 일어나 10분 만에 준비해서 나가면 늦지는 않을 것이다. 그러나 나는 이렇게 늦게 일어나면 안 됐다. 지각해서가 아니다. 과제를 하지 않아서. 조금만 자고 일어나기로 했던 게 어제의 계획이었으니까.

평소에도 끔찍하다 여겼던 수업이었다. 이불을 더 끌어와 누운 그대로 생각했다. 왜 나는 변경 기간에 도망치지 않았을까? 사실 알고 있다. 과거로 돌아갔어도 나는 이 수업에서 도망치지 못했을 것이다. 학점이 모자라면 안 됐고, 변경해봤자 주울 과목도 없었다. 그냥 여기서 잘 버텨서 좋은 학점을 받아야 내년에 장학금을 받을 수 있었다. 상위 30퍼센트 안에 들어야 한다고 눈치를 주던 아빠를 떠올렸다. 맞아. 그래야 하는데. 이렇게 지각을 하거나, 과제를 하지 않으면 안 되는 것이었는데.

그렇게 생각하면서도 몸은 일어나지 않았다. 나는 1학기 때부터 수십 번을 고민했던 고민을 다시 시작했다. 가지 말까? 수업 듣지 말까?

그동안 단 한 번도 그 고민을 실행한 적이 없었던 것은 내가 일을 저지를 후 그것을 치우게 되는 것은 어차피 나라는 것을 알고 있었기 때문이었다. 학교에 가야 했다. 과제를 하지 못했다고 기어들어가는 목소리로 말하는 한이 있더라도, 출석을 해야 다음 주 과제가 무엇인지 알 수 있을 것이다.

알고 있었다. 다 알고 있었다. 전부 알고 있었다.

그럼에도 나는 눈을 감았다.

처음 시험을 대놓고 망쳤던 고등학교 2학년의 어느 날을 떠올렸다. 이제 내 인생은 끝났어. 난 완전히 망가질 거야. 그렇게 생각했다. 선생님은 내 하강

하는 성적표를 보고 무슨 일 있느냐고 물었다. 나는 아무 일도 없다고 대답했다. 선생님은 재차 물었다. 아닌 것 같은데.. 정말 없어? 나는 재차 답했다. 진짜 없어요. 애써 웃었다.

나는 끝났어. 완전히 망가질 거야.
내 성적도 장학금도 인간관계도. 미래의 모든 일이 전부 지금보다 절망적으로 흘러갈 것이다. 나는 또다시 수백 번 했던 후회를 반복했다.

왜 그때 뒤지지 않고 살았어. 왜 살았어.

진작 죽었다면 매일 새벽 쪼그려 앉아 잠들지 못하는 일도
이렇게 심장이 크게 뛰고 가슴이 아파오는 일도
옆으로 흐르는 눈물이 내 얼굴을 간지럽히는 일도 없었을 텐데.

모든 사건 모든 고통이 존재하지 않았을 텐데. 머저리 같은, 병신 같은 나는 죽기로 결심했을 때 죽었어야 했다. 이렇게 바보같이 살아서 밥만 축내고 쓰레기처럼 누워있는 일은 없었어야 했다. 나는 이미 세상에 없는 사람이어야만 했다.

나는 그대로 잠에 들었다. 움직이고 싶지 않았다. 다시 일어났을 땐, 오후 한 시였다. 아직 수업이 끝나지도 않았을 시간.

이미 저질렀으니 어떻게든 치워야 한다. 교수님께 메일을 보내야 하나? 늦잠 자서 결석한 건데 어쩌지. 그냥 보내지 말자. 그러나 또 할 일은 있다. 세 시부터 시작하는 다음 수업이 있다. 중간고사 기간이라, 수업 시간 내에 과제를 제출해야 한다.

역시 죽었어야 한다는 후회를 한 번 더 반복한 후에 내가 일어난 건 두 시 사십 분 경. 아침도 점심도 먹지 않았고 아침부터 한 일이 잠이나 자고 눈물이나 흘리기였던 덕에 제대로 과제를 작성할 수 있을지 걱정되었지만, 생각보다 글이 안 써지지는 않았다. 어떻게든 제출을 완료한 다음 이 글을 쓰고 있는 것이 네 시 오십삼 분의 지금이다.

나는 울었다. 개요를 작성하다가 울고, 자료를 조사하다가 울고, 본론을 정리하다가 울었다. 소리 없이 울었다. 가만히 눈물만 뚝뚝 흘리다가, 소매로 얼른 닦고 다시 과제를 했다. 조금 쓰다가 또 눈물이 났다. 그냥 죽고 싶었다.

나는 고등학교 3학년 때 그래도 살아야 한다고 마음을 바꿨었다.
울며 말하는 너는 죽지 말라던 그 소리에 그래 살아야지 생각했다. 그 이후로 조금 나아지고, 병신같이 소심한 이 성격도 천천히 고쳐지고 있다고 생각했다. 그러나 지금은 그 '삶' 이라는 글자가 날 괴롭게 한다. 죽고 싶어 하면서도 어쨌든 너는 죽지 못하고 살아갈 거라고 말하는 마음 저쪽의 속삭임이, 애매한 갈등이 날 괴롭게 한다.

그래서 오늘도 이렇게 후회하는 것이다. 진작 죽어버려야 했어. 5년이나 질질 끌지 말고, 처음 죽고 싶다고 생각했던 그 때에 죽어버리는 게 옳았다. 정작 죽지 말라던 친구는 자신이 그런 말을 했는지도 기억하지 못하는데. 별것 아닌 그 한 마디에 살겠다고 생각했던 나도 참 웃겼다. 어떻게든 살아야 할 구실을 만들고 싶었는지도 모른다. 덕분에 거기에 2년째 얽혀 죽지도 살지도 못하고, 어찌 되었든 숨은 쉬고 있는 삶을 살아가고 있다.

나는 아마 평생 이렇게 살아갈 것이다. 죽을 용기도 없는 삶을. 죽을 때까지 내 주변 사람은 내 우울을 모르고, 나도 그것을 계속 숨긴 채 죽지도 열심히 살지도 못하는 삶을 살 것이다. 어차피 죽지도 못하는 멍청이는 그렇게 살 수밖에 없다.

2021년. 죽거나 정신병원에 가거나

언제까지고 이렇게 살 수는 없었다. 끝을 내야 했다. 스스로를 괴롭히는 이 뇌를 높은 곳에서 떨어트리든지, 고치든지. 생일에 집을 나섰다. 약속같은 건 없었다. 밖을 정처 없이 돌아다니다 카페에 앉아 해가 지는 것을 보았다. 슬슬 갈까. 집으로 향했다. 계단을 올랐다. 조금만 더 오르면 옥상이 있었다. 집 문 앞에 서서 복도 천장을 바라보다가, 문을 열었다.

그 후로 며칠 동안은 마음이 편안했다. 제풀에 지친 걸지도 모르겠다. 불안도 걱정도 없었다. 아무런 우울도 없는 이상한 나날이 지속되었다. 그리고 한켠으로는 알고 있었다. 또 죽고 싶어질 거야. 다시 사이클이 반복되었다. 여전히 반복에 반복을 계속했다. 끝나지 않을 것만 같았다.

2021. 9. 28

아무 이유 없이 노트북 전원을 눌렀다가
그대로 침대에 올라갔다.
노트북을 다시 끌 힘은 없으면서 침대에는 어떻게 올라간 것인지.
죽은 듯이 누워 눈을 감았다가 그대로 죽고 싶어 눈물이 났다.

매일 쓰던 글은 서서히 멈춰가고
나는 무엇 때문에 살려고 했었는지 기억이 나지 않는다.

무엇 때문에 휴학을 하고 조금은 바뀌고 싶다고 생각했을까.

뭘 위해서 나는 노력하려고 했을까. 어떤 것을 바라고 있었던 걸까.

이런 상황에선 어떻게 굴어야 옳은 건지

이게 맞지 않을까? 생각하면서도 반대로 행동하는 나를 보면서

대체 뭘 하고 싶은 거냐고 묻고 싶었다.

뒤죽박죽 맞는 게 아무것도 없다.

정답이 뭔지

나는 그 정답을 행해야만 하는지

그게 정답은 맞는 건지

계속 생각만 하다가

도망가고 싶어졌다.

어디서 죽으면 나는 잘 죽은 것일까.

어떻게 죽어야 할까.

실수로 차 위에 떨어져도 죽을 수 있으려면 어느 정도 높이가 필요할까.

나는 처음부터 로망 같은 건 가지고 있지 않았다.

그나마 좋아하는 일을 하면서

먹고 살 수는 있을 만큼 돈을 벌고

평범하게 일을 하고 평범하게 밥을 먹고

그냥 보통의 어른이 되고 싶었다.

돈을 많이 번다거나
좋은 성과를 낸다거나
나는 그런 거 바라지도 않았어.

그런데 결국 나는 그런 것도 못하는 인간이 되어버린 것 같다.

하루 가장 작은 목표인 일찍 자기도 제대로 못 하면서
오후 2시에 비적비적 일어나서 뭘 하겠다고.

처음부터 생각했던 대로
느는 건 나이에 붙는 숫자뿐이고
나는 점점 불행해지는 것 같다.

켜진 노트북이 어두운 방을 내내 밝힌다.
해가 뜨고 아침이 오고
기계 돌아가는 소리가 들린다.
끄지 않고 방치한 노트북이 울고 있다.

2022년. 그냥 숨을 쉬면 살아는 있다

죽지 않으면 살아 있을 수 있었다. 간단한 규칙이다. 결국 스스로 끝을 보지 못했으니 계속 살게 될 것이다. 마음이 편안했던 며칠을 겪은 이후, 그리고 휴학을 하며 길게 쉬면서, 그 휴식을 원동력 삼아 복학 후 생활을 나쁘지 않게 보내면서 어느 순간부터 그 편안한 날들이 가끔 찾아오기 시작했다.

2022. 1. 29
죽고 싶다는 생각은 딱히 들지 않는다. 나는 정말 약이 아니면 해결이 안 될 거라고 생각했는데. 하지만 여전히 의욕은 없고 자존감도 낮다. 하고 싶은 것도 없고 모든 것에 주저한다. 여전히 내가 마음에 들지 않는다. 여전히 이상한 일에 눈물을 흘린다. 여전히 아무것도 아닌 계기로 운다.
막 우울하고 그래서 매일 죽고 싶다고 생각하지는 않지만 아직도 나는 어두운 것 같다.
고치고 싶다? 잘 모르겠다. 어떤 영적인 존재가 나타나서 죽여줄게 하면 죽을래. 그런 생각은 여전히 한다. 근데 직접 차에 뛰어든다거나 그런 생각은 안 한다.

2022. 7. 8
엄마에게 나는 좋은 딸이었을까
엄마는 자신이 좋은 엄마라고 생각할까
좋은 딸이 아니라서 미안해

죽음을 생각할수록 오히려 사랑은 커지는 것 같다. 내가 태어나 사랑했던 것들을 다시금 사랑하게 된다. 몇 년 동안 돌고 돌아 찾은 대답이 사랑이라고. 그런데 그 사랑이 정말로 태어난다는 실수의 대가를 감당해야 할 만큼 대단한 것은 아닌가 보다.
결국 돌아가야지. 나는 처음부터 여기 있어서는 안 되는 사람이었다.
이 세상이 적성에 맞는 사람들끼리 잘 살라고 해. 나는 못 살겠다. 내가 싫어서.
조금 안타깝지만.
조금 더 잘해주고 싶고 조금 더 느끼고 싶고
조금 더 사랑하다가 죽고 싶다.
이기적이라 미안해.

2023년. 이상한 시간들

점차 불안한 시간과 편한 시간의 비율이 역전되었다. 내 삶의 이유를 사랑이라고 여겼던 날 이후부터, 내 주변에는 나를 사랑해주는 사람이 있었음을 깨달았다. 몇 번의 작은 성취를 겪고 나니 자신감도 생겼다. 아무렇지 않게 찾아온 변화였다.

2022. 6. 28

불이 꺼지면

사람들은 어디에 스위치가 있는지 알고 있다.

자기가 곧 스위치를 찾게 될 거라고,

어둠을 허우적대면서도 믿을 수 있다.

다시 불을 켤 수 있을 거라고.

환했던 그 풍경을 기억하고 있는 사람들은.

너무 오래전부터 꺼진 불 속에서 살았던 사람들은

밝은 풍경이 뭐였는지 기억조차 하지 못한다.

키가 크는 동안, 머리가 자라는 동안에도 눈앞은 캄캄한 어둠뿐이었다.

스위치를 찾을 수 있을까? 그게 있기는 할까? 글쎄… 난 어둠에 좀 적응한 것 같다.

이제 밝은 곳에 나가면 자신을 잃어버릴 것만 같다.

어둠 속에서 나가려면 자신이 인정하고 있던 마음 한 부분을 떼어내야만 할 것 같다.

이제는 그렇다.

스위치를 찾고 싶지 않다.

원래 빌어먹을 희망은 전혀 공감할 수 없는 것이었다. 사실 지금도 희망이란 건 너무 막연하다. 미래는 알 수 없는 것도, 나라는 존재는 이 우주에서 티끌도 안 되는 작은 존재인 것도 맞다. 불행은 구체적인 사실인데 희망은 너무 막연한 믿음이다. 막연한 희망을 말하는 사람들을 이해할 수 없었다. 나 말고 다들 행복한가 봐. 나만 별것도 아닌 걸로 슬퍼하나 봐. 그런 마음을 누군가 알아주었으면 좋겠으면서도 어두운 사람처럼 보이고 싶지 않은 마음이 있었다. 보이고 싶지 않아 숨겼는데, 숨겨둔 마음이 목구멍을 틀어막았다. 숨이 막혔다.

답답한 마음은 어쩌면 외로움이었을지도 모른다. 이 우울을 이해받지 못하는 것 같아 나와 비슷한 사람을 찾고 싶었다. 인터넷에서 우연히 나와 비슷한 사람이 쓴 글을 보고 위로를 받았던 것처럼. 세상에 나와 비슷한 사람이 있다는 것만으로도, 혹은 나와는 다르지만 어떤 사람이 있다는 것을 알게 되는 것만으로도 받을 수 있는 위로가 있다. 다 잘 될 거야, 넌 잘하고 있어 같은 막연한 말보다도 내겐 그게 가장 구체적인 희망이었다.

2023. 1. 29
아무런 기대 없었던 성장기와
별 보잘것없는 성인이 되어 훌륭하게 증명 중인 자신.

문득 근원 모를 자신감을 내뿜다가
고개를 흔들며 두 무릎에 팔꿈치를 올리고
그래도 이런 자신감이라도 생긴 게 어디냐며 스스로 위로 중인 자신.

몸이 자라는 만큼 머리는 따라왔을까.
오랜 시간 고민하며 몸부림친 만큼
기대하던 것을 깨닫고 철이 들었을까.

변했을까.

성장했을까.

내 달라진 모습이 궁금해 미래를 열어두기로 한 결정은

옳았을까.

종결되었어야 할 삶은

원하는 방향으로 흘러갈 수 있을까.

성공하지 못해도 괜찮다.

그 실패에 좌절하지 않을 수 있는 어른이 된다면.

지금의 나와 미래의 내가 달라서

옳은 방향으로의 변화가 일어났다면

돈이 없고 친구가 없어도

스스로 부끄럽지 않고 더 이상 스스로를 죽이고 싶지 않다면.

결국 행복하기 위해 사는 거니까.

'인생의 의미'에 대한 고민은

그 오랜 고민을 관둔 다음에 실마리를 잡은 것 같다.

행복하지 않을 때는 몰랐다.

나는 변하기 위해 살고 있다.

시간이 지나면서 점점 더 옳은 방향으로 나아가기 위해서.

그 변화의 끝을 내가 직접 보기 위해서 미래로 가고 있다.

2024년. 열린 결말

나는 지금 괜찮은 마음으로 살고 있다. 많이 변했다. 긍정적으로 생각하려고 하고 같은 사소한 일에도 행복감을 느낀다. 평생 안고 살 줄 알았던 우울감은 지금은 가끔 찾아오는 감정이 되었다. 물론 여전히 어떤 날은 우울하다. 속으로 소리를 막 지르고 화를 낸다. 불안감에 책장에 머리를 박는다. 하지만 이제 조금은 믿을 수 있다. 곧 지나가고 또 괜찮은 마음이 생길 거라는 것을. 그런 막연한 희망이 드는 변화가 신기하다.

맞아, 세상 어딘가에 나 같은 사람도 있겠지.

어딘가에 사는 어떤 사람도 나와 비슷한 표현을 하고, 비슷한 생각을 하고, 비슷한 질문을 하며 박 터지게 고민을 하고 있겠지. 그리고 이제는 조금 괜찮은 마음을 가지게 되었을지도. 모든 글에 꼭 결론이 있어야 하는 건 아니겠지만, 이 글을 쓰던 처음부터 난 지금 이 결말을 말하고 싶었다. 아직 인생은 한참 남았으니 활짝 열린 결말이다.

앞으로의 삶에는 더 힘든 날들을 버텨내기 위해 더 단단해져야 한다. 기쁘고 행복할 필요도 없다. 그저 작은 산들바람 정도에는 휘청거리지 않는 평안한 마음을 가지고 싶다. 나는 가늘고 길게 살고 싶다. 조금씩 나아져 가면서. 내 마음이 막아서 하지 못했던 일들도 하고, 점점 내 마음에 드는 사람이 되어가면서.

언젠가 또 죽고 싶어질 만큼 힘이 들겠지. 눈물이 나고 가슴이 답답하겠지. 충혈된 눈으로 떠오르는 해를 보겠지. 그런 미래의 나에게도 이 글이 위로가 되면 좋겠다. 2024년 1월 2일. 이 시간의 내가 즐거운 생각으로 살고 있다는 걸 기록으로 남겨둔다.

윤하 - 별의 조각, 2021

무슨 이유로 태어나
어디서부터 왔는지

(중략)

던질수록 커지는 질문에
대답해야 해

돌아갈 수 있다 해도
사랑해 버린 모든 건

이 별에 살아 숨을 쉬어
난 떠날 수 없어

태어난 곳이 아니어도
고르지 못했다고 해도
나를 실수했다 해도
이 별이 마음에 들어

이가흔(Lee Ga-Heun)
버티다
2022

나뭇가지에 매달린 휴지로 만들어진 사람들이 제각기 다른 방식으로 삶을 버티고 있다. 악의 없이 스치는 작은 바람에도 흔들리지만 가지를 붙잡고 꿋꿋이 버티고 있다.

죽지 않아서 다행이야

김승준

– 홀로 떠난 키루나 국립공원 오로라 여행기

홀로 떠난 키루나 국립공원 오로라 여행기

그런 순간들이 있다.

실제로 일어난 일이라고 하기에는 너무나도 많은 우연과 기적이 겹쳐서 그 순간에 거기 있었던 나마저도 믿기 어려운 순간들이. 평생에 한두 번 있을까 말까 한 이런 순간들은 내가 가장 힘든 때에 나를 지지해 주는 버팀목이 되어준다. 내가 무너질 것만 같을 때에도 그런 순간들이 나에게도 있었음을 기억하면 다시 내일을 살아갈 용기가 생긴다고들 한다. 그런데 기억이라는 친구는 굉장히 성질이 고약하여 항상 제멋대로 자기가 갈 길을 가려 한다. 떠올리고 싶지도 않은 흑역사는 매일 밤 침대 위로 번뜩번뜩 기어 올라와 나의 단잠을 방해하고, 잊어버리고 싶지 않은 순간들은 조금씩 흐릿하게 만들어, 감정과 인상만을 남기고 자꾸만 떠나가려 한다.

오늘 내가 하려는 이야기도 그런 순간들 중 하나에 대한 이야기이다.

20살이 되던 해에 나는 무턱대고 혼자서 오로라를 보러 가겠다며 머나먼 스웨덴 키루나로 떠났다. 여행길에서 나는 수많은 사람들을 만났고, 그 모든 인연이 모여 내가 무사히 살아 돌아와 이 글을 쓸 수 있게 해주었다. 지금도 여전히 가장 힘든 날은 그날의 키루나를 떠올린다. 그때 키루나가 나에게 보여준 이 세상의 모습은, 아직은 나도 잘 모르는 내가 살아가야 할 이유가 있음을 가르쳐 주었다.

그렇게 중요한 순간이었으면서

나는 서서히 그날의 풍경을 잊어가고 있다. 내가 잊으려 해서 잊었다기보다는 기억이 나를 떠나가려 하고 있다는 말이 더 맞을 것이다. 나는 잊고 싶지 않지만, 그 기억 위로 켜켜이 쌓여가는 나의 삶의 기록들이 그날의 기억을 잘 떠올리지 못하게 막고 있다는 느낌이 든다. 그래서 나는 오늘 여기에 이 글을 쓴다. 나의 가장 소중한 기억에게 망각이라는 불명예를 남기지 않기 위해서, 잊히지 않을 글자들로 꾹꾹 눌러 담아 그날의 기억을 떠올리려 한다. 그 기억을 기억하는 것만으로도 나의 인생에 대한 헌사가 될 것이며, 나에 대한 사랑이 될 것임을 알기에.

그 기억을 떠올리는 자리에 이 글을 읽고 계신 여러분을 초대하고자 한다.

분명히 즐거운 경험이 될 것이다. 아주 개인적인 나의 이야기이지만 이 글을 읽는 동안 여러분은 나와 함께 눈 덮인 키루나 국립공원을 함께 걷게 될 것이다. 잠시라도 여러분들이 일상에서 벗어나서 즐거운 여행을 하기를. 그리고 이런 사람도 있었구나 하고 나의 이야기를 기억해 주기를 간곡히 부탁한다.

2013년 겨울, 나는 3개월 동안 스웨덴 예테보리로 떠나게 된다.

당시 국제 고등학교 다녔던 나는 스웨덴 학생들과 교환학생 프로그램을 신청했다. 그렇게 나는 파키스탄 아버지와 라오스 어머니를 둔 스웨덴 친구 다니엘과 버디가 되었고 한국에서 4개월 동안 같이 살면서 고등학교 1학년이 칠 수 있는 사고란 사고는 다쳤다. 물론 범생이 기준이니까 굉장히 별것 없긴 하다. 올해 여름에 다니엘이 태국에서 결혼식을 한다고 해서 다녀왔는데 10년 지기 친구의 결혼이라니 기분이 이상했다. 아무튼

2013년 겨울, 나는 마침내 다니엘이 사는 나라인 스웨덴으로 떠났다. 스웨덴에서 보낸 시간들은 꿈만 같았다. 다시 한국으로 돌아와서의 고교 생활은 힘든 일들 투성이였고 마침내 수능과 입시를 모두 마친 나는 2016년 1월이 되자마자 다시 스웨덴으로 가고 싶다는 생각을 하게 되었다. 가서 뭘 하고 싶다는 생각은 전혀 하지 않았다. 그저 그 나라에 다시 돌아가고 싶었다. 그렇게 나는 바로 다음 주에 출발하는 스웨덴행 비행기표를 끊었다.

지금은 그렇게 하기 아주 어려울 것이다. 2주씩이나 시간을 통째로 비우기도, 몇 백만 원이나 하는 비행기표 값을 내기도 어렵다. 하지만 그때의 난 수능을 잘 보고 온 금쪽같은 학생이었고, 그맘때쯤 우리 집 형편은 꽤 괜찮았다. 운이 좋았다.

그렇게 스웨덴으로 다시 돌아갔고 다시 꿈속에 있는 것 같은 2주를 보냈다. 스웨덴에 갈 때 숙소 같은 건 아예 찾아보지도 않고 다니엘 집으로 찾아갔다. 그리고 한 일주일쯤 예테보리 시내를 활보하며 여행 영상들을 찍어댔다. 오랜만에 스웨덴 친구들을 만났고, 내가 제일 좋아하던 카페에서 하루 종일 그림을 그려댔다. 그런데 겨울의 스웨덴이란 별로 할 수 있는 게 없었다. 북유럽 바이킹들이 자기가 사는 나라에서 도망쳐 나와 다른 나라를 정복하러 다녔던 것이 너무나 이해가 됐다.

끝없이 펼쳐진 눈밭에 지치고 시내에 있는 클럽이라는 클럽은 다 다니고 나서 다시 다니엘 부모님이 운영하는 식당으로 돌아와 다니엘에게 뭐 할 거 없냐는 질문을 했고. 이때 다니엘은 나에게 기가 막힌 생각을 하나 읊어줬다.

'오로라 보러 가지 않을래?'

다니엘 부모님이 운영하는 식당은 예테보리 기차역에서 굉장히 가까웠다. 그리고 그 기차역에서 스웨덴 북부 키루나라는 곳으로 가는 완행열차가 있는데 기차에서 하룻밤을 자야 한다고 했다. 나는 그 모든 것들이 마음에 들었다. 다니엘은 일 때문에 같이 가지 못했고 나는 오롯이 홀로 그 길을 떠났다. 19살 때까지는 보호자 없이는 국내여행도 제대로 다니지 못했던 내가 혼자서 스웨덴까지 와서는 이제 연고도 전혀 없는 수 백 킬로미터 밖의 국립공원 한가운데로 기차여행을 떠나게 생긴 것이다.

기차와 숙소를 예약하는 데는 겨우 1~2시간도 걸리지 않았다. 어려운 스웨덴어로 되어있는 기차표 홈페이지도 다니엘이 대신 보고 기차 티켓을 사다가 가져다줬고,

나는 에어비앤비를 열어 키루나 국립공원 쪽에서 제일 저렴하고, 제일 낭만 있어 보이는 곳을 숙소로 정했다.

키루나라는 마을 자체에 인구수가 1만 7천 명 밖에 안 되는 곳이었다. 그 와중에 키루나 읍내도 아닌 저 멀리 외딴 국립공원 한가운데의 호숫가에 있는 통나무집에서 2일을 보내기로 했다. 내 인생 최고의 선택이자 최대의 실수가 될 뻔한 선택이었다.

그렇게 1월 25일이 찾아왔다.

시간은 오후 다섯 시 밖에 안됐지만 밖은 캄캄했다. 한국보다 해가 빨리 지기도 하지만 기본적으로 가로등의 개수가 많지 않아서 밤에 길을 걷기 그렇게 좋지는 않았다. 그래도 나는 이제 혼자서 해외도 나온 어른이고 무서운 아저씨들 정도는 내 손에 들린 25킬로그램짜리 캐리어를 집어던지고 달리면 충분히 제치고 도망갈 수 있을 것 같았다.

캐리어는 굉장히 무거웠다. 기차에서 하루, 통나무집에서 이틀 그리고 다시 기차에서 하룻밤 보내는 겨우 3박 4일 일정인데 말이다. 그도 그럴 것이 나는 지난 20년간 부산의 온화한 기후에서 자라왔다. 기온이 0도 이하로만 떨어져도 한파 주의라며 등교 주의 문자가 날아왔었고, 진눈깨비라도 하늘에서 떨어지면 이게 몇 년 만의 눈이냐며 기뻐서 날뛰던 사람이었다. 그런데 사방이 눈으로 뒤덮이고 기본이 영하 10도 아래며, 해는 아침 10시에 떠서 오후 4시면 지는 나라에 갔으니 방한 대책이 철저할 수밖에 없었다.

기본적으로 한국의 겨울을 이겨낼 수 있는 내복과 두꺼운 바지, 스웨터에 패딩을 입고, 그 위에 오버사이즈 야상을 한 겹 더 입었다. 혹시 눈 속에 파묻혀서 보이지 않게 될까 봐 야상은 시뻘건 색으로 입었다. 거기에 비니, 목도리, 귀마개, 장갑을

끼고, 등산용 양말 두 겹과 방수가 되는 설산용 워커까지 신었다. 잘 때는 이 모든 걸 내려놓고 자야 하니 25킬로그램짜리 캐리어도 모자란다고 느껴질 정도였다.

그래도 괜찮았다. 무거운 캐리어는 어떤 의미에서 위험한 여정을 떠나는 여행가의 상징처럼 느껴지기도 했기 때문이다. 물론 지금은 해외여행 갈 때 웬만하면 백팩 하나 이상 챙기지 않으려고 노력하는 편이다. 어쩌면 이때 겪은 일 때문에 짐을 집착적으로 적게 챙기는 것도 있는 것 같다.

어스름이라는 표현도 너무 밝게 느껴질 정도로 컴컴한 다섯 시가 되고 나는 천천히 예테보리 기차역을 향해서 걸었다. 다행히도 다른 문제는 없었다. 영어 방송조차 극히 제한적인 나라지만 숫자만 읽을 줄 알고 Kiruna라는 글자만 볼 줄 안다면 나름대로 플랫폼을 찾아서 갈만했다. 고등학교 때 스웨덴에서 보낸 시간이 3개월이 넘고, 스웨덴어도 열심히 공부했었지만 할 수 있는 말은 욕과 아침 인사, 나는 한국인이라는 말밖에 없다. 웬만하면 어딜 갈 때 스웨덴 친구를 데려가서 통역 역할로 쓰려고 했지만 이번 오로라 여행은 오롯이 혼자 하게 되었다. 그래도 뭔가 괜찮을 것 같은 묘한 자신감만 마음 깊은 곳에서 잔뜩 솟아올랐다. 나는 어른이니까.

들뜬 마음에 도착한 플랫폼엔 아직 기차가 들어오고 있었다. 출발을 겨우 30분 남겨뒀는데도 기차를 칸칸이 조립하고 있었다. 분명 39번 칸에 나의 오늘 밤 잠자리가 있다고 했는데 아무리 봐도 30번 이후로는 기차가 보이지 않았다. 초조한 마음에 내가 가짜 표를 산 건 아닌지, 승차 홈을 잘못 안 건 아닌지 여기저기 두리번거리는데 근처 벤치에 조용히 앉아서 기다리는 백발의 노부부와 눈이 마주쳤다. 나는 그들을 슬쩍 보고 안 본척하고 고개를 돌렸다. 그리고 다시 발을 동동 구르며 승차 홈의 끝까지 걸어갔다가 다시 그 벤치 자리로 돌아왔다. 나는 주변을 한참 돌아보다가 이제는 안 되겠다고 생각하고 다니엘에게 헬프 콜을 하려는 참에 뒤에서 등을 톡톡 치는 느낌이 들었다. 거대한 할아버지가 나를 바라보고 웃으며 말했다.

"Car will come"

내가 기차가 안 올까 봐 불안해하고 있다는 사실을 눈치챘는지 안심시키기 위해서 말을 건 것처럼 보였다. 할아버지는 내게 표를 달라고 손짓했고 나는 슬쩍 표를 건넸다. 할아버지는 잠시 표를 보더니 활짝 웃으며 자신의 표를 꺼내어 보여주었다. 39번 칸이었다. 같은 칸에 타는 사람들이었던 것이다. 그래도 나는 여전히 미심쩍었다. 이 사람 좋아 보이는 할아버지 할머니가 제대로 몰라서 나랑 같이 길을 잃은 것은 아닐까 하는 생각도 들었다.

이런 초조한 마음을 아는지 모르는지 할아버지는 나를 진정시키고 벤치에 앉혀서 이것저것 물어보시기 시작했다. 어디서 왔는지, 어디로 가는지 같은 이야기였다. 그렇게 영어를 잘하시지는 않았지만 알아들을 만큼은 충분히 말씀하셨다. 할아버지랑 할머니는 덴마크 사람이라고 했다. 잠시만 스웨덴 사람이 아니라고? 나의 불안감은 더욱 커져만 갔다. 물론 2년 뒤에 알게 된 사실이지만 덴마크 어랑 스웨덴어가 비슷한 부분이 엄청 많아서 우리가 제주도 사투리 받아들이는 정도의 차이라고 한다. 물론 그땐 그런 사실은 전혀 몰랐고 그저 나랑 같이 해외에서 여행 중인 할아버지 할머니가 나처럼 스웨덴어도 잘 못하는데 속 좋게 들어오지도 않는 기차를 기다리고 있는 것처럼 보였다.

한 5분쯤 지났을까. 이제 슬 정말 일어나서 돌아다녀야 하는 게 아닌가 싶은 순간. 기차가 멀리서 다가오며 남은 차량들과 연결되었다. 얼굴이 화끈했다. 할아버지 할머니 말이 정확하게 맞았다. 심지어 39번 칸은 우리 앞에 멈춰 섰다. 할아버지는 환하게 웃으며 나를 일으켜 세우고는 기차로 함께 들어갔다.

기차는 긴 복도를 따라서 한 칸에 8개 정도 되는 방이 주욱 늘어서 있었다. 나는 내 방을 찾아서 들어갔고 할아버지 할머니는 바로 옆방으로 들어가셨다. 인연이란 건 생각보다 무서운 것일지 모른다. 그렇게 생각했던 것 같다.

밤이 깊고, 키루나행 열차는 천천히 발걸음을 떼기 시작했다.

수면 칸은 3인 1실이었다. 기차가 출발하기 직전까지 나는 또 어떤 사람과 이 여행을 함께하게 될까 가슴 졸이며 기다리고 있었다. 하지만 아쉽게도 그 누구도 나의 방으로 찾아오지는 않았다. 아마도 하나의 칸에는 하나의 일행만이 타는 것으로 되어있는 것 같았다. 정말 길고 긴 기차였지만 기차 안은 기묘할 정도로 조용했다.

예테보리 역에서 점점 멀어지며 이제 창밖은 아무것도 보이지 않는 어둠만이 남아있었다.

다음 날 아침이 밝았다. 스웨덴의 겨울엔 아침 10시가 되어야 동이 트기 시작한다. 창밖으로 끝없이 펼쳐진 설원이 보였다. 선명한 하얀 빛을 볼 수 있는 것으로 보아 시간은 오전 10시를 훌쩍 넘겼을 것이다.

기차 안에 제대로 씻을 수 있는 공간은 그리 많지 않았다. 칫솔과 여행용 샴푸를 들고 가서 겨우 세면대에서 양치와 머리 감기만 하고 밖으로 나왔다. 내 방으로 가는 길이 조금 시끌시끌했다. 어제 그 노부부였다. 나는 전혀 알아들을 수 없는 말을 주고받으며 밖을 바라보고 계셨다. 아마도 나랑 똑같이 몇 시간째 전혀 미동도 없이 하얀 바깥 풍경을 보며 감탄하고 계셨던 것 같다. 그리고 다시 할아버지와 눈이 마주쳤다.

할아버지는 나에게 잘 잤냐며 아침 안부를 물어보셨다. 자기는 키가 너무 커서 잠을 제대로 못 잤다며 허리를 손가락으로 가리키셨다. 나는 머리 위로 손을 올리며 나는 작아서 잘 잤다는 말을 했다. 그리고 어디로 가고 있는가에 대한 이야기를 나누기 시작했다.

할아버지와 할머니는 스키 여행을 떠나는 중이라고 말씀하셨다. 산속에 오두막

같은 곳을 예약하셨는데 며칠 동안 거기에서 지내며 스키를 타며 지낼 것이라고 말씀하셨다. 낭만적이었다. 나는 오로라를 보러 갈 것이라고 말했다. 할아버지는 '오로라!' 라며 감탄하셨다. 키루나에 간다고 말씀드리자 잠시 기다리라고 말씀하시더니 방으로 들어가셨다. 그러고는 커다란 지도를 하나 들고 와 여기가 키루나라며 웃는 얼굴로 지도를 가리키셨다. 나는 지도를 잘 알아볼 수는 없었지만 아무튼 웃으며 고개를 끄덕였다.

할아버지는 나에게 지도를 건네며 가져가라고 이야기하셨지만 나는 휴대폰에 있는 구글 맵을 꺼내어들며 이거면 충분하다고 말씀드렸다. 가끔 그때 그냥 웃는 얼굴로 그 지도를 받아들었으면 얼마나 좋았을까 하는 생각이 들고는 한다. 누군가가 나에게 건네어주는 호의를 감사히 받을 줄 아는 것도 큰 예의라는 것을 알게 된 지 그렇게 오래되지 않았다.

짧은 담소가 지나고 우리는 기차의 종착역에 도착했다.

기차는 거기서 한 번 더 북쪽을 향해서 올라갔다. 이번에도 할아버지 할머니와 같은 기차였다. 우리는 그게 인연이라고 신나서 같이 사진도 찍고 메일도 주고받았다. 몇 주 뒤 할아버지 할머니한테서 메일이 왔다. 자신들은 잘 놀다가 집으로 돌아갔으며 나도 좋은 여행을 했길 바란다는 내용의 편지였다. 답장을 했어야 했지만 그때의 나는 어째서인지 쉽사리 연락을 하지 못했다. 8년 가까운 시간이 흐른 지금 나는 그 메일을 아직도 가지고 있지만 이제는 그 메일에게 답장을 하는 일이 너무 두렵게 느껴진다.

아무튼 우리는 그렇게 한참을 같은 기차를 타고 올라가다가 내가 먼저 키루나역에서 내렸다. 시간은 3시 30분, 해가 점점 떨어져가고 있었다.

오후 4시면 아무것도 보이지 않을 만큼 깜깜해지는 지역이면서 동시에 아주 작은 시골 마을이었기에 가로등조차 많지 않았다. 예테보리의 밤은 벌건 백주대낮으로 느껴질 만큼 어두운 밤이 금방 찾아왔다. 나는 근처 마트에서 급하게 저녁에 먹을 미트볼과 쿠키를 사서 주머니에 욱여넣고 숙소가 있는 호숫가까지 가는 버스 정류장에 섰다.

지도상으로는 크게 문제가 없어 보였다. 큰 길을 따라서 15분 정도 차를 타고 올라간 뒤 오솔길을 따라서 30분 정도를 걸으면 된다고 했다. 영하 15 도는 가뿐히 넘는 강 추위였지만 나는 패딩과 야상, 두 겹으로 둘러싸인 상태였기에 30분 정도 걷는 것은 별거 아닐 거라고 생각했다.

버스는 예상 도착시간 보다 30분이나 늦게 도착했다.

심지어 그 버스가 버스인지 알아차리는데도 한참 걸렸다. 웬 장기 밀매용으로 쓰일 것 같은 봉고차가 버스 정류장으로 한 대 들어오는데 같이 정류장에서 기다리던 초등학생쯤 되어 보이는 아이들이 잔뜩 그 차 안으로 들어갔다. 자세히 보니 차 보닛 위에 내가 타려는 버스 번호가 팻말로 적혀있었다. 아마도 그 동네 아이들의 하굣길 버스였던 것 같다. 나는 버스 안으로 들어갔고 그 버스가 호숫가로 가냐는 질문을 지도와 보디랭귀지를 섞어가며 물어봤다. 차 안은 불빛 하나 없이 어두웠지만 버스 기사 아저씨가 고개를 대충 끄덕이며 손을 저어 자리 찾아 앉으라는 이야기를 했다는 것은 알 수 있었다. 심지어 버스 요금도 받지 않았다. 나는 같이 탄 아이들이 현명한 아이들이기 빌며 자리에서 조용히 출발을 기다렸다.

이윽고 버스가 출발하고 나는 휴대폰 구글 지도를 켜서 내가 가려는 곳으로 차가 잘 가고 있는지 확인했다. 10분쯤 시간이 지나고 내가 가려는 숙소 근처 정류장까지 왔다. 그런데 밖을 아무리 쳐다봐도 정류장 비슷한 것조차 보이지 않았다. 그리고 차량이 정차한다는 방송조차 들리지 않았다. 그렇게 차는 점점 더 숙소에서 멀어지더니 저 먼 곳으로 떠나는 것 같았다.

본능적으로 뭔가 잘못되었음을 느꼈다.

차는 그렇게 한참을 더 이동했고 또 5분 정도의 시간이 지났을 때였을까. 옆자리에 앉은 아이가 스웨덴어로 버스 기사 아저씨를 불렀다. 아저씨는 그 자리에서 차를 세웠고, 몇몇 아이들이 거기에서 내리기 시작했다. 나는 더 가서는 안 된다는 생각에 바로 그 자리에서 내렸다. 나는 정류장을 지나친 것이다. 그저 그 정류장이라는 게 그냥 멈춰 달라는 데서 멈춰주는 불빛도 없는 거리 한복판이었다는 사실을 몰랐을 뿐.

나는 구글 지도를 다시 켜서 현재 위치에서 숙소까지 걸어서 걸리는 시간을 보았다. 두 시간. 두 시간을 걸어야 했다. 그래도 어쩌겠는가. 산골마을 한가운데서 누군가 나를 태워주길 기다리며 있을 수도 없고, 시간은 오후 5시가 넘어가는데 6시에 체크인 시간이라서 꾸물거릴 시간도 없었다. 나는 왔던 길을 다시 돌아가기 시작했다.

발길을 떼기 시작한 지 5분 정도 지났을 때 나는 눈치챘다. 그 길에 가로등 같은 건 하나도 없다는 것을. 나는 영하 16도의 빛조차 들지 않는 눈밭에서 25킬로그램짜리 캐리어와 함께 꼼짝없이 갇혀버렸다. 내가 가진 생존 아이템이라곤 15퍼센트 배터리가 남은 휴대폰과 캔에 들어있는 미트볼뿐이었다.

숲은 어두웠지만 고요하지 않았다.

주변에 사람이 만들어내는 소리라고는 눈을 밟는 나의 발자국 소리밖에 없었기에 밤의 숲은 더욱 소란스럽게 들렸다. 나무에 쌓여 있던 눈이 아래로 떨어지는 소리, 작은 동물들이 눈 위를 뛰어다니는 소리들이 났다. 무엇보다 기억에 남는 건 늑대 울음소리였다. 영화 속에서나 들을 수 있었던 늑대 하울링 소리가 먼 곳에서 들렸다. 확실히 근처에 있지 않다는 것은 알 수 있었지만 동시에 속이 보이지 않는 숲속에서 늑대 무리가 튀어나와 나를 고깃덩어리로 만들 수도 있다는 생각에 간담이 서늘해졌다.

별이 참 아름다운 날이었다.

갓 대입을 끝내고 몇 년 만에 제대로 하늘의 별이라는 걸 쳐다본 것 같다. 진짜 그대로 거기에서 길을 잃고 죽을 것만 같다는 공포도 들었다. 하지만 동시에 생생하게 살아있음을 느끼기도 했다. 20년 동안 꿈꿔왔던 오지 탐험을 하고 있었다. 그렇게 나는 남아있는 휴대폰 배터리를 어디에 쓸지 정했다.

휴대폰을 꺼내들고 나는 영상을 찍기 시작했다.

주변이 너무 어두워서 아무것도 보이지 않지만 행여나 내가 보고 있는 별들이 카메라에 담긴다면 내가 그때 했던 생각들을 더욱 생생하게 떠올릴 수 있을 것만 같았다. 하지만 카메라엔 아무것도 담기지 않았다. 심지어 마이크 고장으로 소리조차 담기지 않았다. 지금도 내 컴퓨터엔 3분 동안 검은 화면만 나오는 정체불명의 영상이 저장되어 있다. 나는 그 검은 화면을 보며 많은 것들을 떠올릴 수 있다. 하지만 그때 내가 그 길을 걸으며, 마지막이 될 수도 있다는 마음으로 남긴 목소리를 다시 들을 수 없다는 것은 아직도 아쉬운 일 중 하나이다.

휴대폰 배터리는 그렇게 나와 작별 인사를 했다.

나는 또다시 오롯이 혼자 깊고 어두운 숲속에 홀로 남겨졌다. 아니 그런 줄만 알았다. 그렇게 잠시 10분쯤 더 걸었을 때 나는 교차로에 다다랐다. 지금까지 걷던 길을 산길에 제대로 포장도 되지 않은 길이었다. 하지만 아까 버스가 시원하게 달리며 가던 포장도로에 도착했음을 나는 깨달았다. 나는 문득 또 영화 속에서만 봤던 장면이 떠올랐다. 히치하이킹 말이다.

어쩌면 지나가는 차에 나도 함께 탈 수 있을지도 모른다는 생각이 들었다.

이것만 성공하면 나는 살아서 돌아갈 수 있을지도 모른다는 생각이 들었다. 아니나 다를까 얼마 안 가서 차가 한 대 다가오기 시작했다. 나는 영화에서 본 것처럼 차를 향해서 엄지를 척하고 치켜세웠다. 차는 열심히 제 갈 길을 찾아갔다. 얼마 뒤에 또 한 대 차가 지나갔다. 나는 첫 번째보다 더 열심히 엄지를 치켜세우고 운전자와 눈을 마주치려고 뚜렷하게 차 창문을 지켜봤다. 그렇게 차는 다시 갈 길을 찾아갔다.

그러고 얼마간 차가 지나다니지 않았다. 반쯤 포기했을 때쯤 검은색 지프차 한 대가 다가오는 것을 보았다. 나는 다시 엄지를 그 어느 때보다 강하게 치켜들었다. 어쩌면 엄지를 미친 듯이 흔들고 있었을지도 모른다. 하지만 차는 다시 제 갈 길을 열심히 갔다. 그렇게 앞 코너를 돌아 사라지는 차를 멍하니 쳐다보고 있었다.

그런데 그때 코너 너머로 붉은 기운이 살짝 느껴졌다. 차 브레이크를 밟을 때 나는 그 붉은빛 말이다. 저 멀리서 방금 지나갔던 검은색 지프차가 도로 한가운데서 유턴을 하며 천천히 내 쪽으로 다가왔다. “됐다!” 마음속으로 소리쳤다.

지프차는 천천히 내 쪽으로 다가와 창문을 내렸다. 창문을 내렸는데 컴컴한 차량 내부로 아무도 보이지 않아서 잠시 당황했으나 씨익 웃는 미소에 사람이 있다는 것을 나는 알아차릴 수 있었다.

착한 웃음을 가진 흑인 아저씨는 나에게 길을 잃었냐고 물었다.

나는 온몸을 끄덕이며 태워줄 수 있냐고 물었다. 아저씨는 당연하다는 듯이 차에 올라타라고 손짓했다. 솔직히 처음엔 굉장히 당황했다. 온통 눈으로 뒤덮인 하얀 세상에, 하얀 피부를 가진 사람들 밖에 없는 곳에서 검은 지프차를 탄 흑인 아저씨는 그 어떤 하얀색보다 눈에 띄었다.

나는 아저씨의 휴대폰을 빌려서 구글맵의 숙소 위치를 찍어주었다. 아저씨는 아주 가깝다며 숙소까지 태워다 주겠다고 했다. 그렇게 아저씨는 내가 묻지 않았던 많은 이야기들을 해주었다. 자신은 가나에서 태어나서 과학을 전공했고 오로라 연구를 하기 위해서 키루나에 있는 대학교까지 왔다고 했다. 심지어 자기 동생은 한국에서 대학을 다니고 있는데 동양인 친구 한 명이 아무것도 없는 눈길에서 손가락을 들고 있는 모습에 자기 동생 생각이 나서 차를 돌려서까지 태워주려고 했다는 말을 했다.

거짓말 같은 이야기들이 너무 많아서 나는 이제 그날 있었던 일이 진짜가 맞는지 의심이 들 정도이다.

가나인 대학원생 아저씨 차를 타고 15분쯤 달렸을까. 굽이굽이 숲길을 따라 나는 겨우 숙소가 있는 호숫가 오두막에 도착했다. 차가 들어오는 소리에 사람들이 모두 나와서 나를 지켜봤다. 숙소 호스트는 내 얼굴을 보자마자 너무 안 와서 걱정했다며 어떻게 된 거냐고 물어봤다. 나는 검은색 지프차를 가리키며 히치하이킹을 해서 왔다고 말했다. 숙소 주인아저씨와 가나인 아저씨는 뭔가 스웨덴 말로 대화를 나누었다. 나는 가나인 아저씨와 전화번호를 교환하고 아저씨와 헤어졌다. 지금은 그 연락처를 잊어버려서 다시 연락할 방법이 없지만 다시 만나서, 살려줘서 고마웠다고 인사라도 하고 싶은 사람이다.

그렇게 나는 죽지 않고 오로라를 보러 온 여행을 계속할 수 있었다.

숙소 주인은 나에게 숙소 열쇠와 방을 소개해 줬다. 동양인 남자라는 이유로 신분확인조차 안 하고 방을 안내해 주는 것이 내심 우스웠다. 뭐 여기까지 혼자서 찾아오는 동양인이 몇 명이나 될까 싶어서 당연한 일이라는 생각은 들었다. 그렇게 아저씨를 따라 들어간 숙소엔 프랑스 여자 4명이 기다리고 있었다. 에어비앤비로 숙소를 예약해서 한 집을 다른 사람들이랑 같이 쓰게 되었는데 공교롭게도 같은 집은 쓰게 된 사람은 4명이 모두 프랑스 사람이었다. 두 사람은 나이가 지긋한 할머니 일행이었고, 두 사람은 프랑스 남부 니스 출신의 30대 누나들이었다.

그중에서도 가장 나이가 많아 보이는 할머니는 담배를 아주 맛있게 피고 계셨다. 담배를 너무 많이 피셔서 그런지 목소리가 많이 쉬어있었지만 그중에서 가장 유쾌한 할머니였다. 나는 마침 그분들이 저녁 식사를 할 때쯤에 맞추어 숙소에 도착한 것이다.

대충 짐을 풀어서 방에다가 던져두고 나와서 저녁식사에 동참했다. 프랑스 누님들은 정확하게 어떤 음식을 드시고 계셨는지 전혀 기억이 나지 않지만 굉장히 맛있어 보이고 냄새가 좋은 음식을 드시고 계셨다. 나는 주머니에 꾸겨놓은 생존용 쿠키와 미트볼 통조림 하나를 대충 그릇에 옮겨 담고 저녁 식사 자리에 동참했다.

정말 끔찍하게 맛없는 미트볼이었다.

마트에서 그나마 내가 제일 잘 안다고 생각하고 그나마 제일 맛있을 거라고 생각해서 산 음식 두 개가 정말 맛이 없었다. 어떻게 맛이 없었는지는 기억이 잘 나지 않지만 그냥 내가 생각한 맛과 전혀 달랐던 것 같다. 옆자리 사람들한테 음식을 조금씩만 얻어먹고 싶어질 정도로 맛이 없었다. 그래도 자존심이 있지 음식을 달라는 이야기는 할 수 없었고, 대충 맛있어 보이는 표정을 지으며 밥을 먹기 시작했다.

Bon appétit!

프랑스 누님들은 내가 밥을 먹는 내내 말을 걸어오셨다. 우리 모두 의사소통이 잘 되지는 않았지만 생존 영어만으로도 처음 만난 여행객들이 나누어야 할 대화는 모두 할 수 있었다. 그리고 아직까지도 기억에 남는 말은 '본 에피팃' 이라는 말이다.

밥 맛있게 먹으라는 프랑스 말이고 프랑스어를 배우면 가장 처음 배우는 말 중 하나이며, 프랑스인이 가장 많이 쓰는 단어 중 하나이다. 지금은 그 말에 대해서 잘 알고 있지만 그때는 처음 보는 단어였다.

어떤 단어나 말을 처음 들은 날을 기억하는 일은 흔치 않다.

하지만 아직도 또렷하게 기억이 난다. 접시 한가득 맛없는 즉석 미트볼을 들고 저녁 식사 테이블로 걸어오는 나를 보며 활기차게 '본 에피팃' 하고 내 음식에 마법을 걸어준 사람들이. 나는 그게 무슨 말이냐고 물어봤고, 누님들은 아주 친절하게 뜻을 설명해 주었다. 그리고 프랑스 사람들은 절대로 음식을 먹기 전 잘 먹으라는 인사를 건넨다는 이야기를 해주었다. 스웨덴 최북단의 국립공원 한가운데에서 나는 프랑스인들의 환대를 받고 있었다.

식사가 끝나고 알게 된 사실은

그날은 오로라를 볼 수 없을 것이라는 절망적인 이야기뿐이었다. 이틀 동안 그 숙소에 머물 예정이었는데 이틀 동안 오로라 예보가 모두 잠잠하다는 이야기였다. 친구의 권유에 충동적으로 지구 반대편까지 날아온, 평생 눈이라고는 고작 두 손에 꼽을 수 있을 정도로만 본, 한국에서도 따뜻한 남쪽 동네 출신의 촌놈이 북극 근처의 사정을 알 리가 만무한 게 당연했다. 오로라 예보기가 있다는 것도 그때 처음 들었다. 아마도 나를 숙소까지 태워다 준 그 가나인 형이 그런 오로라 예보를 고도화하고 있으리라.

아무튼 계획도 제대로 안 세우고 달려온 국립공원에 오로라는 쏟아지지 않는다고 했다.

숙소 근처에는 오로라를 관찰하기 위한 초소가 있었다. 이글루 천장을 반쯤 잘라 놓은 것 같이 생긴 초소 가운데에는 장작이 활활 타오르고 있었고, 초소 앞으로는 끝없이 눈밭이 이어져 있었지만 거기는 원래 호수라고 했다. 영하 10도 이상 최고 기온이 올라가지 않는 곳의 호수는 어떤 땅보다도 단단하게 눈을 받치고 있을 수 있는 받침대가 되어주었다. 호수 위로 수많은 이글루 숙소들이 있었지만, 절망적인 오로라 예보 때문인지 오로라 관찰 초소에는 나와 프랑스 누나들 4명밖에 없었다.

밥을 먹고 나서 숙소 근처에 있는 오로라 감시대까지 찾아가기는 했지만 하늘은 속도 없이 잠잠했고 나는 피곤에 절어서 먼저 자겠다고 숙소로 돌아갔다.

한두 시간쯤 침대에 누워있었던 것 같다.

죽을 고비까지 넘겨가며 오로라 하나 보겠다고 올라온 이곳에 오로라는 내리지 않는단다. 눈이라도 실컷 보고, 숲속의 통나무 산장에서 하룻밤 보내는 것만 해도 충분히 즐거운 일이지 하며 축축한 위로를 스스로에게 보내며 오지 않는 잠을 청하고 있었다.

그때 바깥에서 숙소 문을 벌컥 열고 누군가 들어오는 소리가 들렸다. 담배를 제일 맛있게 피던 유쾌한 할머니가 다급하게 '준! 준! 컴 아웃! 오로라!' 라고 소리치시며 들어오셨다.

정신 번쩍 들었다.

오로라? 바깥에 오로라가 있다는 것인가?

할머니는 내 방문을 벌컥 열고는 어서 나오라고 손짓했다.

나는 잠옷으로 갈아입고 편하게 누워 있다가 오로라라는 말에 허겁지겁 대충 패딩 점퍼 하나만 걸치고 밖으로 나갔다. 양말도 제대로 신지 않았고, 바지는 얇은 아디다스 트레이닝복 입고 있는 게 다였다.

그럼에도 불구하고 밖으로 나갔을 때 나는 전혀 추위를 느끼지 않았다.

심장이 두근거렸다.

그렇게 달려서 도착한 오로라 관측 초소에서 마주한 건 희미한 초록빛이었다.

하늘 건너로 뭔가 희미하고 흐릿하게 지나가는 것이 보였다. 하지만 잘 보이지는 않았다. 저게 오로라라는 말인가? 조금은 아쉽기도 하고, 동시에 신기한 느낌이 들기도 했다. 조금 실망한 표정의 나를 본 누님들은 나를 붙잡고 잠시만 기다리라고 했다.

그렇게 초소에서 30분을 더 기다리는데 조금씩 오로라가 선명해지기 시작했다. 실처럼 얇게 하늘을 수놓던 오로라는 금세 파란 장막이 되어 하늘을 덮기 시작했다.

생각했던 것보다는 희미했지만 생각했던 것보다 훨씬 아름다웠다.

그 어떤 사람의 손길도 닿지 않은, 한 겨울 북극이 보여주는 라이트쇼는 내 마음속 어딘가 숨어있던 작은 등대 빛에 밝기를 더해주었다.

내가 가지고 있던 카메라로는 전혀 오로라가 찍히지 않았지만 같이 온 니스 누나는 DSLR을 가지고 오셨다. 덕분에 나는 오로라가 선명하게 찍힌 사진을 받을 수 있었고, 나는 그 사진 덕분에 아직도 그날을 선명하게 상상할 수 있다.

그다음 날은 정말 단 한순간도 오로라는 나에게 시간을 할애해 주지 않았다. 아침에 얼음호텔 구경이나 다녀와서는 프랑스 누님들이랑 수다나 잔뜩 떨어댔던 것 같다.

그다음 날 아침 나는 미련 없이 숙소를 나왔다. 무슨 자신감이었던 건지 숙소에서 역까지 또 히치하이킹을 해서 갔다. 두 번째 히치하이킹은 별 대화가 없었다. 인상 좋은 할아버지가 그냥 아무 말 없이 기차역까지 데려다주셨다.

키루나 기차역에 다시 돌아와서 다니엘이 있는 예테보리까지 돌아가는 건 생각보다 별일이 없었다. 기억도 잘 나지 않는다.

어쩌면 내 인생 가장 절체절명의 순간에 나는 가장 살아있음을 느꼈는지도 모른다.

시간이 꽤 오래 지났지만 아직도 그날의 기억을 나름 뚜렷하게 떠올릴 수 있는 건 그때 찍어두었던 사진과 영상들 덕분이다. 원래 그렇게 사진이나 영상 기록 같은 걸 많이 남기는 편은 아니지만 혼자 떠난 여행이라고 여행 내내 카메라를 보고 떠들어대던 영상들이 남아있어서 그래도 그날의 기억을 나름 선명하게 기억할 수 있었다. 물론 중요한 순간들은 제대로 찍혀 있는 것들이 없어서 떠올리는데 애를 먹기는 했지만 여전히 짧은 시간의 편린들을 이어가는 것만으로도 나름 온전히 그날의 기억을 떠올릴 수 있게 되기는 한다.

처음 말했던 것처럼 이 글을 적게 된 이유는 잊지 않기 위해서이다. 사진이고 영상이고 많은 자료들이 그날의 기억을 떠올리게 해주지만 결국 글만큼 자세하게 감정을 남길 수 있는 것은 없을 것이다. 언젠가 사진과 영상만으로는 그날을 떠올리기 어려운 때가 왔을 때 오늘 적어둔 이 글이 나를 인도해 주는 가이드가 되길 바라며 글을 적는다.

또 이 멋진 기억이 그냥 한순간의 추억으로 사라지지 않게 하기 위해서 이 글을 적는다. 이 여행기는 아름다운 풍경을 보게 된 한 사람의 이야기이기도 하지만 그 사람의 여행길이 성공적이기 위해서 그를 도와준 수많은 인연들 그리고 그 사람들이 살았다는 증거가 될 것이다. 내가 여행하는 동안 정말 많은 사람들의 도움을 받았지만 그 사람들에게 제대로 보답할 수 있는 것들은 없었다. 이 글이 어떤 형태로 남게 될지, 이 글을 그 사람들이 읽게 될지 그렇지 못할지는 몰라도 나의 인생에 잠깐이라도 머물러 주었음에 끝없는 감사를 보내고 있음을 어떤 형태로라도 남기고 싶었던 것을 알아주었으면 좋겠다.

나의 오늘이 무수히 많은 기적과 우연의 산물임을 잊지 않게 해주는
그 순간을 기억하며,
그 순간의 기억이 이 글을 읽어주신 여러분의 마음에도
썩 괜찮은 이야기가 되길 바라며,
나의 오로라 여행기를 여기서 마무리한다.

내가 ADHD겠어?

소양

- 호생호사
- 꽂히면 미친듯이
- 머릿속이 퍼즐로 가득해
- 효율이 좋아
- 핵심 가치, 다양성
- 도파민은 내 친구
- 특별함에서 평범함으로, 평범함에서 특별함으로

내가 ADHD겠어?

"100%야"

입사 후 몇 주간 나를 살펴보던 사수가 내게 말했다. 분명히 ADHD가 맞으니 병원에서 진단을 받아보라는 것이다.

"에이, 제가 ADHD면 세상 사람들 다 ADHD게요?"

널브러진 책상을 감추며 변호하듯 대답했다. ADHD라고 의심해 본 적은 단 한 번도 없었다. 꽤 특이하다고 생각하긴 했지만, 평균에 가까운 사람이라고 생각했다. 정돈되지 못한 책상, 4차원적인 사고방식, 왕성한 호기심, 하고 싶은 것만 미친 듯이 하고 싶어 하는 성향 등등 평균에서 그렇게 벗어나는 수준이라고 생각해 보진 않았다. 그냥 조금, 아주 조금만 다른 것이라 생각했다.

사수는 이미 ADHD 진단을 받았기에 허투루 한 소리는 아니다 싶어, 병원을 찾아갔다. 여러 검사를 신청했고, 확실히 하기 위해 뇌파검사까지 진행했다. 뇌파 검사를 할 때 간호사님이 머리에 측정단자를 이곳저곳 붙여주셨는데 다 붙이고 나니 모양새가 꼭 파마할 때 같았다.

'미용실에 온 것 같다고 얘기해 보자'

머릿속의 장난꾸러기가 유혹했다. 사뭇 진지한 검사 분위기에 장난 한번 쳐보고 싶은 충동이 들었다. 심각한 상황도 아니고 얘기해도 나쁘지 않겠다 싶어 시원하게 뱉어냈다.

"우와 미용실 온 것 같아요. 크크큭"

나름 재미있는 농담을 한 것 같다고 생각했으나, 분위기는 싸했다. 검사 준비를 해준 간호사님은 익숙한 상황이라는 듯이 별 대응을 하지 않으시며 검사 유의사항을 알려주고 나가셨다.

검사를 하는 동안 점점 ADHD 진단을 받길 바라는 마음이 느껴졌다. 잊었다 뿐이지 스스로가 특이하다고 생각되는 경험을 많이 했었다. 평생을 그저 정답에서 벗어난 '틀린 사람'이라고 규정되는 경험을 했으니 그런 생각이 들 때면 후다닥 기억을 잊거나 왜곡해 버렸던 것 같다. 이해되지 않는 나의 다름을 이해하기 위해 'ADHD'라는 설명이 필요했나 보다. ADHD라고 듣게 되면 실마리가 풀릴 것만 같았다.

"ADHD입니다."

검사결과를 보며 의사 선생님이 진단을 내리셨다. 마치 오랜 누명을 쓰다 무죄 판결을 받은 사람처럼 안도감과 후련한 마음이 들었다. 오랫동안 이름 없이 자란 가여운 아이에게 첫 이름이 생긴듯했다. 경사가 생긴 것 마냥 가까운 사람들에게 전화해서 동네방네 소문내고 싶었다. 그러나 ADHD에 대한 인식이 있기에 그들이 걱정하진 않을까 싶어 참았다.

그날부터 ADHD를 미친 듯이 파기 시작했다. 유튜브 영상, 책, 커뮤니티 등등. 마치 입양한 아이에게 필요한 것들을 사고, 알아야 하는 것들을 공부하듯이 ADHD를 공부했고 필요한 책들을 샀다.

산만함, 충동성, 4차원적인 성격, 건망증, 뭔가 시끌시끌하고 우당탕탕하는 느낌. ADHD를 떠올렸을 때 느낌이었다. 하지만 공부를 해보니 이것이 다가 아닌 것을 알았다. 미각이 발달한 사람을 예민한 사람으로만 취급하면 미식가의 재능을 발견하지 못하는 것처럼, 왜 이런 기질이 나타나는지 본질적인 특성을 알아야 진짜 이해하고 숨은 잠재력을 발견할 수 있을 것 같았다. ADHD는 스펙트럼이라 사람마다 다르기에 내가 어떤 특성을 가졌는지부터 생각해 보며 과거를 떠올려봤다.

호생호사

그야말로 호기심에 살고 호기심에 죽는다. 궁금한 게 생기면 반드시 알아내려 한다. 이러한 성격 덕분인지 뜻밖의 일이 생기기도 한다.

한 번은 야밤에 한강산책을 하는데 그날따라 사람이 북적였다. 가까이 가보니 촬영을 하는 듯했다. 궁금병이 발동해 무슨 촬영인지 묻고 싶었다. 그중 쉬고 있는 사람이 있어 저 사람이다 싶어 다가가서 물었다.

"혹시 지금 어떤 촬영하고 있는 거에요?"

근데 웬걸, 모자에 가려진 얼굴을 자세히 보니 좋아하는 유명 배우였다. 왠지 연애강의를 납득이 가게 잘할 것만 같은 그 배우는, 내가 깜짝 놀라서 어쩔 줄 몰라하는 모습이 재밌었는지 말을 붙여줘 꽤 긴 시간 동안 대화를 나눴다. 엉겁결에 즉석 1:1 팬미팅을 하게 되었다. 촬영하나 보다 하고 그냥 지나갔다면, 경험하지 못했을 특별한 추억이다.

그 당시 곧 방영될 드라마를 촬영하고 있었다고 해서, 나오면 보겠다고 얘기했는데 결국 보진 않았다. 드라마를 거의 보지 않는 편이다. 한 주마다 기다렸다 보는 드라마는 당연하고, 완결이 나서 몰아볼 수 있는 것도 힘들어한다. 궁금증이 많다 보니 빨리 결론을 보고 싶어 한다. 그리고 마지막 회를 보기 전에 다른 것에 호기심이 생겨 흥미가 떨어져 보다마는 경우가 많다. 대신 영화는 아주 좋아한다. 2시간 정도의 시간 동안 기승전결의 서사를 다 느낄 수 있기 때문이다.

“왜?”라는 말을 평소에 달고 산다. 항상 이유가 궁금하다. 그냥 그런가 보지 하고 넘어갈 수 있는 것도, 나에겐 이유가 반드시 필요하다. 신기한 기계를 볼 때 ‘어떻게 만들었길래 저렇게 작동할 수 있는 걸까?’라고 궁금 해지는 것처럼, 내겐 세상 모든 것들이 궁금한 대상이다. 이 때문에 문제를 발견하고 해결하는 것을 좋아한다. 분명히 문제가 있는 비효율적인 상황을 개선할 생각이 없어 보이면 고구마를 100개 먹은 것처럼 속이 답답하다.

단순 문제를 해결할 때는 좋지만 연애를 할 때는 다른 문제인듯했다. 여자친구는 성격이 완전히 다르다. 그녀는 차분하고, 신중하고, 생각을 깊게 하여 정리하는 시간이 필요하다. 연애한 지 얼마 되지 않았을 때는 서로를 아직 잘 몰라 답답함을 많이 느꼈다. 처음으로 다투고 화해하는 과정에서 빨리 대화를 나눠 정확한 이유를 알아내 해결하고 싶었고, 여자친구는 반대로 혼자 생각을 깊게 한 후 대화를 나누고 싶어 했다. 마치 영화의 클라이맥스에서 갑자기 뚝 끊긴 느낌으로 답답하고 힘이 들었다.

하지만 사람의 마음이 어떻게 그렇게 단순할까. 나도 나의 성격이 있듯 그녀도 그녀의 성격이 있는 것이니 서로 존중하고 맞추는 것이 중요했다. 어느 정도의 시간이 지나자 둘 다 편안해진 상태가 되었고 덕분에 진솔한 대화를 나눌 수 있었다. 서로 서운했던 점들과 오해했던 것들을 풀었다. 신기했던 것은 대화를 하지 않아도 혼자서 생각정리가 되면 적지 않게 마음이 풀리기도 한다는 것이었다. 문제가 해결되지 않으면 계속 머릿속을 헤집고 있는 나는 해결이 되어야만 풀리기에 이럴 수도 있구나 하고 알았다.

듣거나 생각만 하는 것이 아니라, 직접 경험을 해보니 '다름'을 더욱 이해하고 존중할 수 있었다. 이때부터 호기심을 조금씩 더 성숙하게 다룰 수 있었다.

꽂히면 미친듯이

인생의 시기가 두 가지로 나뉜다. 미친 듯이 꽂혀서 무언가를 파는 시기와 꽂히는 걸 찾는 시기. 노래를 들을 때도 마찬가지다. 어떤 노래가 좋다고 느껴지면 그 곡만 질릴 때까지 무한반복해서 듣는다. 가장 많이 들었던 노래는 Coldplay의 yellow 파리 콘서트 버전. 유튜브에 yellow paris라고 검색하면 바로 나오니 꼭 한번 들어보는 걸 추천한다. 이 노래는 귀에 피가 나도록 들어서 영상 초반부에 나오는 커플은 길 가다가 마주치면 인사를 할 것만 같이 반갑게 느껴진다. 듣다가 이제 질렸다 싶으면 플레이리스트를 듣거나 알고리즘에 맡겨 꽂히는 곡 찾기 항해를 떠난다. 그러다 보면 한 곡이 또 좋아지는데 그걸 무한반복해서 듣는다.

반대로 생각해 보면 꽂히지 않았을 때는 남들보다 훨씬 몰입도가 낮다는 것이다. 취미가 뭐냐고 물으면 바로 대답하지 못하고 고민을 하게 된다. 영화 보기, 책 읽기, 유튜브 보기, 재미나 보이는 곳 구경 가기 이런 것들은 산책과 마찬가지로 각 잡고 한다는 느낌이 없으니 말이다.

한 때 미친 듯이 꽂혔던 취미가 있긴 했다. 바로 테니스. 살면서 처음으로 운동에 푹 빠졌었다. 레슨이 아침이었기 때문에 졸음을 이기고 일어났어야 했다. 그런데 전날 늦게 자서 아주 피곤한 경우도 '그래도 빨리 가야지'라는 생각이 들 정도로 좋아했다. 심지어 겨울에 시작해서 가는 길에 벌벌 떨면서 가야 했는데 말이다. 잠이 많고 귀찮아하는 내가 그 정도로 했으니 꽂히긴 했구나 싶다. 내가 어떻게 해야 꽂히는지 테니스를 곰곰이 생각해 보면 알 수 있을 것 같다.

첫째, 어렵지만 너무 어렵진 않다. 단순하게 보면 배드민턴과 비슷해 보여서 가볍게 접근할 수 있을 줄 알았는데 생각보다 훨씬 어려웠다. 라켓에 공을 맞히는 것도 예상보단 어려웠다. 하지만, 아예 포기하고 싶은 마음이 들 정도로 과하게 어렵진 않았다. 쉽게 느껴졌다면 오히려 금방 질렸을 텐데, 적당히 어려우니 오히려 조금씩 성장하는 그 재미가 나를 꾸준히 하게 만들었다.

둘째, 남 탓을 할 수 없다. 복식으로 하는 경우는 해당이 되지 않지만, 레슨을 하는 동안은 단식만 했기 때문에 모든 문제는 나에게 있었다. 못해도 내 탓이고 잘되어도 내 탓이였다. 시선을 외부로 돌리지 못하는 환경이기 때문에 자연스럽게 나와의 싸움을 할 수 있었고, 성장에 집중할 수 있었다.

셋째, 변수가 많다. 변수가 많다는 것은 예측하기 힘들어 뻔하지 않다는 것이다. 매일매일이 새로웠다. 테니스는 코트도 여러 종류가 있고, 특히 내가 레슨을 했던 코트는 흙코트였기 때문에 더 변수가 많았다. 똑같이 공이 들어와도 어디로 튈지 예측하기 힘들었기 때문에 공이 튀어 오르는 순간까지 초집중할 수밖에 없었다. 자연스럽게 더 몰입하게 되었고 정신 차리면 레슨시간 20분이 지나가있었다.

무엇보다 스포츠 자체가 근냥 재미있었다. 현재는 레슨을 받을 환경이 안되어 아쉽게 하고 있지 못하다보니 또 취미 방랑기에 들어섰다.

이런 특성 탓에 힘든 점은, 꽂히는 걸 찾는데 시간이 적지 않게 걸린다. 흥미를 느끼는 기준치가 높다 보니 무언가에 쉽게 빠지지 않는다. 그래서 찾는 시기가 길어지게 될수록 점점 지치게 된다. 오래 지치다 보면 무기력해지고 악순환에 빠지곤 한다. 테니스를 좋아했던 이유를 곰곰이 생각해 보고 어떤 취미든 일단 부딪혀보면 금방 다시 찾을 수 있을 것 같다.

머릿속이 퍼즐로 가득해

가까운 지인들은 내가 좋은 강연이나 재밌는 영화를 보고 나서 어땠냐고 물으면 뭐라고 답할지 안다.

“어… 그냥 좋았어요.”

정말 이렇게 대답한다. 대답하는 게 귀찮거나, 별다른 생각이 들지 않아서가 절대 아니다. 오히려 머릿속이 생각들로 가득 차서 그렇다. 마치 100조각 퍼즐을 갑자기 주고 10초 만에 맞추라고 하는 것 같은 느낌이다. 물론 좋은 점의 일부만 똑 떼서 얘기를 할 수도 있지만, 뭔가 성에 차지 않는다. 내 머릿속에 있는 아름다운 풍경의 퍼즐을 다 맞춰서 보여주며 '아름답지?' 라고 말하고 싶다.

어떤 것을 보고 생각이 들 때 한 번에 많은 생각이 동시에 들고, 생각이 생각에 꼬리를 끝도 없이 문다. 그러다 보니 아이디어도 많이 떠오른다. 어떤 문제에 대한 고민이 있을 때 산책 한 바퀴 돌고 오면 엄청난 아이디어들이 떠오른다. 한창 산책을 많이 할 때는 노트앱을 애용하며, 산책하다 서서 메모하다를 반복했다.

머릿속에 순간이동기가 있는 것 같다. 영화 점퍼에서 순간이동 능력을 가진 주인공이 순식간에 이곳저곳을 이동하는 것처럼 내 머리 안이 그렇다. 쉴 새 없이 점프한다. 피자 생각을 했다가 짜장면 생각을 하는 느낌이 아니라, 피자 생각을 했다가 구름 생각을 했다가 연필 생각을 했다가 하는 식이다.

"머릿속에 있는 생각 중 몇 퍼센트 정도를 말해요?"

전 직장 동료가 이런 모습을 느꼈는지 이렇게 물은 적이 있다.

"음… 15%요."

그러다 보니 밖으로 튀어나오지 못하는 85%에 대한 아쉬움이 많다. 이 재미난 것들을 어떻게 머릿속에서 꺼낼까 고민을 많이 한다. 물론 상황마다 차이가 크다. 뻥 뚫린 고속도로에서 연비가 좋은 것처럼, 생각이 많이 들지 않거나 내가 익숙해져 어렵지 않게 생각할 수 있는 것들이면 그 순간만큼은 달변가가 되어 말이 술술 나온다.

이렇게만 보면 마치 엄청난 아이디어 공장 같지만, 생각이 많이 떠오르는 것과 좋은 아이디어가 많은 것과는 다르다. 요즘 산책할 때는 거의 노트를 하지 않는다. 떠오르는 생각들의 대부분이 실행으로 이어지기 힘든 현실성 부족한 것들이기 때문이다. 생각이 드는 것은 막지 않되 정제하려고 노력한다. 머릿속에 검수기를 설치해서 함량미달인 생각들은 폐기를 하고 있는 것이다. 그리고 그렇게 살아남은 아이디어에 더욱 집중해서 그 안에서 아이디어를 키운다. 예전에는 얇고 넓게 생각을 했다면, 요즘은 좁고 깊게 하는 느낌이다.

생각이 많은 특성도 시행착오를 겪으며 다듬어가고 있다.

효율이 좋아

어릴 적부터 달고 살았던 말 중 하나가 '효율'이다. 어떻게 하면 더 효율적으로 하지라는 생각을 항상 한다. 지루한 걸 좋아하지 않아 단순 반복업무를 힘들어하는데, 이 때문에 하게 될 때 머릿속엔 효율적으로 개선할 수 있는 방법에 대한 생각만이 가득하다. 실제로 많은 경우 효율적으로 개선을 해내곤 한다. 지루한 시간을 힘들어하여 그만큼 행동을 덜하게 되니 효율적으로 바꿔 조금이라도 더 성과를 내고 싶은 마음 때문이 아닐까 한다.

하지만 이러한 성격이 안 좋게 작용하는 경우도 적지 않다. 효율이란 것이 어느 정도 궤도에 올랐을 때 효과를 발휘하는 것이지 초반에는 오히려 독이 되는 듯했다. 마치 축구를 막 시작한 사람이 기본기를 다지는 것이 아니라, 효율적인 훈련법과 킥을 찾는 것처럼 말이다. 그 대단한 손흥민조차 기본기를 열심히 다진 것으로 유명한데, 기본 없는 효율은 속이 빈 붕어빵과 같았다.

이런 경험을 많이 하다 보니 생각이 많이 바뀌게 되었다. 효율이라는 것이 문제 개선 할 때는 도움이 되지만, 나의 성장에는 가림막이 된다는 것을 알았다. 결국엔 우직하게 밀고 나가는 것이 필요하다. 대신 의지만을 믿고 우직하게 해 보기보다는, 현실적인 내 특성을 감안한 전략이 필요했다. 끝까지 해낼 수 있도록 목표를 잘게 쪼개어 세부 목표들을 만들고, 실행을 할 수밖에 없는 환경들을 만들어갔다.

한창 살이 붙었을 때 계속 다이어트에 실패하자 결국 환경을 만들어 버렸었다. 목표 기간까지 실패하면 인당 10만 원씩 주겠다고 내기를 걸었고, 중간 목표를 정해 잘게 쪼개었다. 그랬더니 효과를 봤고 다행히 지갑을 지킬 수 있었다. 만약 막연하게 언제까지 해야지 하는 생각만 가지고 있었다면 성공하지 못했을 것 같다.

일을 쉬고 있는 요즘엔 규칙적인 생활을 위해 아침마다 기상인증샷 내기를 걸었다. 빼먹으면 하루당 만원씩. 효과가 너무 좋았는지 늦게 일어나 벌금을 내는 꿈을 꾸기도 한다. 덕분에 아침공기를 마시며 산책을 하고 규칙적인 생활을 유지하고 있다.

만약 계속 효율을 고집하며 효과적인 다이어트 방법만 알아봤거나, 아침에 개운하게 일어나는 방법만 찾았다면 실제로 성공하지 못하고 계속 효율을 좇기만 했을 것이다. 오히려 초반에는 효율을 버리니 성공경험을 맛보고 성취감을 느끼니 재미가 있었다.

효율성이라는 강점을 마냥 좋은 것으로 생각하고 아무렇게나 쓰는 것이 아니라, 적재적소에 알맞게 쓰는 것이 중요하다는 것을 알게 되었다.

핵심 가치, 다양성

사람을 참 좋아한다. 사교성이 특별히 좋은 것도, 인류애가 가득한 것도 아니다. '다양성' 때문이다. 세상에 사람만큼 다양한 게 또 있을까. 비슷해 보이는 사람들도, 심지어는 쌍둥이도 자세히 보면 모두 각자만의 색깔을 가지고 있다. 호기심이 많고 새로운 것을 좋아하다 보니, 새로운 사람들을 보면 그 사람만의 특성들이 신기하고 재미있다. 저 사람은 왜 저런 특성을 가지게 되었을까 궁금해진다.

"사람을 만나는 게 참 재미있어요. 마치 포켓몬스터의 지우가 모험을 떠나며 다양한 포켓몬을 만나는 것처럼 말이죠. 새로운 사람들을 만나면, 저만의 포켓몬 도감이 채워지는 듯한 느낌이에요."

사람 만나는 걸 좋아하는 이유를 설명할 때 종종 이렇게 비유로 설명하곤 한다. 한 번은, '아무리 그래도 사람한테 포켓몬은 좀…'이라며 비판을 받기도 했지만 이것만큼 내 느낌을 설명해 주는 것이 없어 아직도 이렇게 설명한다. 당연히 사람을 포켓몬처럼 생각하는 건 아니고, 수집하는 느낌이 비슷하다는 뜻이다.

'다양성'이라는 가치를 참 좋아한다. 오죽하면 전 회사도 다양성을 핵심가치로 두며 비전을 실현해 나가는 방향성이 좋아 입사를 하게 되었으니 말이다. 이 말을 좋아하게 된 순간은, 2년 전에 내가 틀린 것이 아니라 다르다는 걸 인지했을 때이다.

어릴 때부터 내가 납득이 가지 않으면 따르지 않았다. 이유 없이 일단 하라는 게 참 힘들었다. 그래서 남들이 따라가는 것들을 잘 따라가지 못했다. 한국 사람들의 보통 과정이라고 생각되는, '초중고대학직장' 과정에도 의문을 품었다.

"학생 때는 좋은 대학을 가기 위해 공부하고, 대학생 때는 좋은 직장에 가기 위해 노력하고, 직장에서는 가정을 유지하고 노후를 위해 열심히 살고. 그러면 나는 도대체 언제 재밌게 살 수 있는 거야?"

성격이 유한 편이고 반항아와는 거리가 멀어 겉으로 보이는 반항을 한 적은 거의 없지만, 내가 납득하지 못하면 결국 따르지 않았다. 군대 갔다 오면 다들 정신 차린다는데, 군대 갔다 오니 더 정신을 못 차렸다. 항상 내가 가고 있는 길에 의문을 품었고 그러다 보니 자연스럽게 친구들에 비해서 뒤쳐지기 시작했다.

주위 친구들은 대기업, 공기업에 들어가고 각자 자기만의 역할을 찾은 듯하였으나 난 적지 않은 시간 방황했다. 맨 처음 했던 일도, 기회가 되어 하게 되었으나 내가 좋아하거나 특별히 잘하는 분야가 아니었기에 일에 동기부여가 별로 되지 않았다. 주도적으로 일하지 않고, 시간만 보내며 수동적으로 최소한만을 일했다. 그렇게 미래를 고민하다 우연히 '강점진단' 이라는 것을 알게 되었다. 나만이 가지고 있는 강점을 알 수 있다고 하니, 홀린 듯이 검사를 해보았다.

강점에는 '창의력', ' 문제발견능력', ' 정보검색능력', ' 특징을 캐치하는 능력', '동기부여 능력' 등이 있었다. 그리고 현재 내 환경과 강점을 비교하여 강점을 잘 활용하고 있는지 알 수 있는 그래프가 있었는데, 환경과 강점이 완전히 상반되는 것을 알 수 있었다. 그때 비로소 알았다. 사실 나도 잘하는 것이 분명히 있다는 것과 현재는 강점을 전혀 사용하지 못하고, 가장 어려운 방법으로 극복하려고 하니 힘든데 성과는 나오지 않았던 것이다.

현실을 마주하니 오히려 마음이 편안해졌다. 왜 어려움을 겪고 있는지 몰랐을 때는 '힘들다' 에만 초점이 맞춰져 있었지만, 상황을 알게 되니 '어떻게 해결할 수 있을까?' 로 생각이 바뀌었다. 처음으로 넘치는 열정과 에너지를 느꼈다. 생각이 너무 많다는 것, 실천을 하는 것이 아니라, 자꾸 새로운 정보를 찾는다는 것, 변화하지 않는 것에 답답함을 느끼는 것, 모두 사실 내 강점이었다. 그때 처음으로 생각이 들었다.

"난 틀리고 뒤처지는 사람이 아니라, 다른 사람일 뿐이구나……."

사람을 보는 시각이 순위가 있는 수직에서, 다양성이라는 관점으로 수평으로 보는 것으로 바뀌었다. 사람 사이에서 더 우월하고 뒤처지는 사람이 있는 것이 아니라, 한 사람 안에서 '발전한 나' 와 '발전하지 못한 나' 만이 있을 뿐이다. 모든 사람이 다 다르니 자신의 다름을 먼저 인지하고 어제의 나와 경쟁하며 자신과의 싸움으로 성장하면 되는 것이었다.

생각이 바뀌니 삶도 바뀌었다. 처음으로 주체적으로 하는 것이 생겼다. 직장에 가서도 수동적으로 최소한만 하는 것이 아니라, 강점을 살려서 주도적으로 일을 하게 되었다. 더 좋은 결과가 나왔고, 무엇보다 내가 동기부여가 확실히 되어 재미가 있었다.

여기서 그치지 않고, 나와 같이 어려움을 겪는 사람들에게 "이런 게 있어요!"하고 알리고 도와주고 싶었다. 그래서 강점코치 과정을 마치고 코칭을 시작하게 되었다.

이런 변화를 직장에서 눈치를 챘는지, 하고 싶은 것을 여기서 실현하긴 어려워 보이는데 나가서 꿈을 향해 도전해 보는 건 어떠냐고 얘기를 해주었다. 그동안 수동적으로 했던 것이 미안하여 이제부터 제대로 일을 해보고 싶었으나, 진짜 내 속마음을 지켜보니 나 역시 도전하고 싶은 마음이 컸다. 그렇게 정들었던 첫 회사를 마무리하고 꿈을 좇았다.

일은 그만두었지만 오히려 더 바빠졌다. 이 당시 나의 캘린더를 보면 일정이 매일 꽉 차있는 것은 물론, 하루에 2~3개씩 일정이 들어있기도 했다. 강점관련된 공부, 자기 계발 모임, 강점코칭까지 하루하루 바쁘게 살았다. 그런데 재미있었다. 너무너무 재밌었다. 처음 느껴보는 기분이었다. 내가 굼뜨고 게으른 게 아니라, 꽂히지 않아서구나 느꼈다.

세 달 정도를 이렇게 몰입해서 보내다 들어가고 싶었던 회사에 입사하게 되었다. 다양성이 핵심가치라는 그 회사. 이 당시 나에게 느껴졌던 강렬한 열정과 에너지, 그리고 내가 하고 있는 것들이 좋게 작용하여 소망의 첫 단계를 이뤄냈다. 나에게 주어진 첫 열매였다. 누가 준 것도, 땅바닥에 떨어진 것도 아니라 내가 직접 심고 키우고 노력해서 얻어낸 달콤한 열매.

또 다른 도전을 하기 위해 결국 퇴사를 하게 되었지만, 여전히 '다양성'은 핵심가치이자 실현하고 싶은 가치이다. 세상 사람들 모두가 다양성이라는 스펙트럼 안에서 자신을 인식하여 강점과 잠재력을 알아보는 것. 그리고 남들과의 경쟁이 아닌, 자신과의 경쟁으로 어제의 나보다 성장하는 것. 이것을 돕고 싶다.

도파민은 내 친구

이런 ADHD의 특성들의 본질적인 원인으로는 바로 도파민이 있다. ADHD인 사람들은 도파민이 너무 과해 저항성이 생겨 수용이 적게 되거나, 도파민 자체가 적다. 즉, 같은 자극을 받아도 평균적인 사람들 보다 도파민이 덜 수용되니, 움직이는 힘이 부족할 수밖에 없다. 썰매를 눈 밭에서 끄는 것과 갯벌에서 끄는 것이 다르듯이 말이다. 왕성한 호기심, 꽂히면 미친 듯이 파는 스타일, 다양한 아이디어, 효율을 좇는 특성들이 얼핏 보면 도파민과 연관성이 없어 보일 수 있지만 실제론 그렇다.

도파민 부족으로 흥미를 크게 느끼는 경우가 상대적으로 적기 때문에 흥미를 느끼게 되면 더 크게 반응할 수밖에 없다. 스테이크를 매일 먹는 사람 보다 월 1회 먹는 사람이 더 스테이크에 대한 자극이 크듯이 말이다. 그렇기에 한번 꽂히면 미친 듯이 팔 수밖에 없고, 그 꽂혔던 강렬한 기억이 있어 다시 그 쾌락을 찾기 위해 호기심을 발동한다. 마찬가지로 재미를 느끼고 싶기 때문에 지루한 걸 싫어해 효율에 집착하고 다양한 아이디어로 새로운 자극을 주려한다.

이러한 특성 자체가 문제가 된다기보단, 특성을 모르고 있거나 잘못된 것이라 판단하여 부정하는 경우가 문제가 된다. 그래서 약점은 솔직하게 인정하고, 의지를 믿기보다는 환경을 만들어 이용했다. 대신 꽂히면 폭발적인 에너지를 낼 수 있는 강점을 활용하기 위해, 꽂히는 것을 찾고 시도해 보기 위해 다양한 경험을 하려 노력한다.

도파민의 노예가 아니라 주인이 되어보기로 결심했다.

특별함에서 평범함으로, 평범함에서 특별함으로

최근까지 스스로를 특별하게 생각했다. 다양성에 과몰입하여 내가 다른 것을 넘어 나만이 가지고 있는 개성이 너무 좋고, 소중하고, 더 재밌는 것 같았다. 더욱이 ADHD 진단을 받고 나서는 그것이 심해져서 무공훈장을 받은 것처럼 자랑스럽기까지 했다.

그러다 그 생각이 박살이 났다. 막상 현실은 아니기 때문이었다. 스스로를 아무리 특별하다고 위안을 삼아도 현실에서 내가 뚜렷하게 나타나는 특별함은 없었다. 독보적인 성과를 내는 것도, 남들과 확실한 차별성이 있는 엄청난 결과를 내는 것도 아니었다. 그러자 방황하기 시작했다.

'난 특별하다고 생각했는데 왜 이렇지? 내가 사실 특별한 것이 아닌가?'

시간이 좀 더 지나자 알아차렸다. 내가 특별하지 않다는 것을 말이다. 난 그저 평범하다. 아인슈타인처럼 천재도 아니고, 레오나르도 다빈치처럼 다재다능하지도 않다. 그냥 보통 사람이다. 그렇게 직면하니 진짜 내 모습이 보였다. 실제로 멋지고 특별한 사람이 아니라, 그냥 그렇게 생각만 하고 포장하는 사람이라는 것을. 절망스러웠다.

'그럼 나는 이제 어떻게 해야 할까?'

하루아침에 모든 것을 잃고 노숙자신세가 된 듯한 기분이었다. 서러워서 울기도 했다. 결국엔 인정했다. 정말 너무도 인정하기 싫어 외면했지만 항복을 해버렸다. 내가 특별하지 않고 그저 평범하다는 것. ADHD라는 특성을 가지고 있지만 그것이 나를 특별한 사람으로 만드는 것은 아니라는 것.

신기하게도, 오히려 그렇게 항복을 해버리자 길이 보였다. '특별한 사람처럼 보이는 옷'을 입는 방법이 아니라, '진짜 특별한 사람이 되기 위한 길'이 말이다. 웃기게도 그 길은 내가 너무나도 잘 알고 있는 것이었다. 바로 끝까지 해내는 것. 넘어져도 일어나 계속 가는 것. 실패해도 두려움 느끼고 좌절하는 것이 아니라 실패를 교훈 삼아 성공으로 가는 것. 내가 너무나도 부정했던 길이다.

'아니야. 분명히 저것보다 더 좋고 효율적인 방법이 있을 거야.'

'나는 저렇게 미련하게 하고 싶지 않아. 편하고 쉽고 재밌게 갈 거야.'

생에 처음으로 인정했다. 이것이 맞다는 것을. 그리고 결심했다. 나 또한 그 길을 걷기로. 마음을 먹으니 '어떻게 저 길을 피해 가지?'에서 '어떻게 이 길을 재밌게 갈 수 있을까?'로 시선이 바뀌었다. 그리고 보다 보니 이 길이 내가 생각한 것처럼 삭막하고 지루하기만 한 것이 아니란 것도 알았다. 스테이크가 아무리 맛있다고 해도 모든 끼니를 스테이크만 먹는다면 정신병에 걸릴 것이다. 스테이크도 먹었다가 볶음밥도 먹었다가 때론 최악의 음식을 먹기도 해야 더욱 스테이크를 맛있게 먹을 수 있을 것이다. 그리고 때론 그 최악의 음식이 좋아하는 음식이 되기도 하는 재미난 경험도 할 테고 말이다.

2년 동안 모든 열정을 불태우고 다시 똑같은 고민으로 되돌아왔다. 하지만, 상황은 똑같지 않은 듯하다. 여전히 미래에 대해서 고민되고 걱정하지만 방향성이 바뀌었다. '다양성'의 참 뜻을 좀 더 알게 되었기 때문이다. 다양성은 수평의 스펙트럼을 의미하지 우열을 가리지 않는다. 하지만 난 스스로를 뒤쳐진다고 생각했다가, 오히려 특별하다는 생각까지 게 되었다. 다양성을 통해서 처음 나를 알게 되었지만 마치 그동안의 힘듦을 보상받고 싶어 하는 마음으로 나를 너무 높게 평가해 버렸다. 그러니 오히려 삶은 힘들어졌다.

다시 다양성으로 돌아왔다. 난 특별하지 않다. 무한한 스펙트럼 중 하나일 뿐이다. 하지만 특별하지 않음을 인식하고 어제의 나와 다투며 성장하며 비로소 특별해 질 수 있다. 내 존재는 존재만으로 소중하지만, 특별함이란 것은 노력의 과실 같다.

그동안 내가 특별함으로 가는 진짜 길을 회피한 이유는, 너무 힘들어서 외면했기 때문이다. 남들처럼 가는 것이 너무 힘들었기 때문이다. 하지만 그 길을 가되 나만의 방법으로 가보려 한다.

길을 걷다가 호수를 마주한다면, 어떻게 건너는 것이 정답일까? 당연히 정답은 없다. 수영을 잘하는 사람은 수영으로 건너면 되고, 배를 잘 만드는 사람은 뗏목을 만들어서 가도 되고, 심지어는 물을 다 빼버려도 되고 말이다.

그동안 다른 사람들이 하는 방법을 보며 따라하려고 노력했다. 그러나 남들은 쉽게 하는데 난 잘 되지 않자 좌절했다. 물에 들어가면 허우적 거리기만 하고, 배도 만들 줄 모르고, 물을 뺄만한 능력도 없었다. 하지만 그렇게 다양한 시도를 하다보니 근질거리는 등에 숨겨진 날개를 발견했다. 이제 할 일은 날개를 펴는 것부터 시작하여 날갯짓을 연습하여 비행으로 건너는 것이다.

결국은 경험이었다. 내 특성 때문에 더 많이 좌절하고 실패하였지만 그런 경험들이 스스로를 돌아보게 하였다. 다름을 인정하였고 나만의 방법을 탐색하고 고민했다. 걱정되고 불안했던 이유는 모르기 때문이었다. 하지만 방법을 알고 나서는 '어떻게 해야 하지…?' 라는 걱정에서 '어떻게 저 길을 계속 갈 수 있지?' 라고 생각하며 방법을 찾는 관점으로 바뀌었다.

앞으로 수없이 부딪히고 넘어지고 실패할 것이다. 하지만 그 실패들이 목표로 가는 도중에 만나는 장애물일 뿐이며, 오히려 나를 성장시킬 것임을 알기에 겸허히 받아들이고 다시 일어나 목표를 향해 갈 것이다.

모든 사람들이 자신만의 가치를 알기를 소망하며 이 글을 읽는 당신께 이렇게 묻고 싶다.

당신은 어떤 고유함을 가지고 있나요?

따뜻한 문화예술 한 잔, 어떠세요?

아름한

따뜻한 문화예술 한 잔, 어떠세요?

사랑하는 것들로 나를 채울 수 있다면,

나는 한없이 넓어지고 깊어질 것이다.

나에게 다가오는 일련의 따뜻함이 있다.

하나의 완성된 형태로 따지자면

영화 〈 오만과 편견 〉,

뮤지컬 〈 아르토, 고흐 〉의 넘버 ‘촛불’,

김보희 작가님의 바다 그림 작품들,

지브리 스튜디오의 〈 귀를 기울이면 〉,

조성진 피아니스트의 슈만 피아노 협주곡,

빌리 조엘의 ‘Piano Man’과 ‘Vienna’,

그리고 밤하늘의 별과 같은.

다양한 이야기들을 듣는 것을 좋아하는 나는 10년 지기 고등학교 친구들과 함께 공연을 자주 보러 다닌다. 특히 연극, 뮤지컬을 보는 것을 좋아해서 지금까지 200편 정도의 다양한 뮤지컬을 봐왔고, 연간 최다극 관람자 100명을 선정하는 작년과 올해 제 7, 8회 한국뮤지컬어워즈에 관객 투표단으로 선정되어 늘 관심을 가지고 공연예술을 사랑하는 중이다.

그러다 이번에 초연을 올린 뮤지컬 〈22년 2개월〉을 보며 박열과 가네코 후미코의 인간적인 면을 다루었다는 점이 나에게 인상 깊게 다가왔다. 배우들의 연기와 넘버들에서 느껴지는 따뜻함에서 많은 위로를 받았고 모두의 일상 속에 녹아있는 따뜻함에 주목했다는 점에서 글의 생각은 시작되었다.

내가 공통적으로 느낀 따뜻함을 지닌

내가 사랑하는 문화예술에 대한 이야기를 해보려 한다.

:: 따뜻함을 지닌 문화예술, 준비해드렸습니다 :)

1. 영화 < 오만과 편견 > – You have bewitched me body and soul

고전을 읽는 것을 좋아해 나중에 방 하나를 서재로 만들어 벽면을 고전으로 가득 채우고 싶은 꿈이 있다. 여러 고전 중 내가 가장 좋아하는 고전은 제인 오스틴의 <오만과 편견>이다. 작년 가을 뉴욕에 일주일 정도 여행을 하러 간 적이 있었는데 눈길 닿는 대로 여러 서점들에 들러 많은 종류의 책들을 둘러보다가 제인 오스틴의 <엠마>와 다양한 표지의 <오만과 편견>도 보고 뉴욕 공립 도서관에도 들렀다. 도서관 안쪽 기념품을 파는 작은 가게에서는 '책을 읽는 것 만한 즐거움이 없다'는 제인 오스틴의 문구가 쓰인 노란색 파우치도 하나 사 왔었다. 이렇듯 나에게 제인 오스틴의 영혼이 담긴 <오만과 편견>은 잠들 무렵 머리맡 조명을 하나 켜놓고 읽고 싶은 아끼는 책이다.

원작인 책을 말하자면 정말 책의 모든 부분을 밑줄 그으면서 읽었던 나이기에, 같이 나누고 싶은 장면이 너무나 많아 원작의 따뜻함을 시각화해놓은 영화 <오만과 편견>에 대해 이야기해 보고자 한다. 영화 <오만과 편견>을 보면서 좋았던 장면은 굳이 말로 하지 않아도 표정과 분위기만으로도 텍스트가 읽히는 순간들이 선명하게 드러나는 순간들이다. 한 가지 예를 들자면, 리지와 다아시가 서로에 대해 오해를 하고 두 번 다신 만나지 않을 사람처럼 말다툼을 하고 돌아왔지만, 이후에 집에서 리지가 책을 보는 순간, 창밖을 보는 순간 하나하나에도 다아시를 떠올리게 되는 장면이 있다. 이처럼 점점 서로를 이해하면서 상대를 향한 따뜻함과 사랑이 보이는 순간들을 사랑하지 않을 수 없는 것 같다.

마지막 장면에서 다아시의 고모가 적극적으로 리지와 다아시를 훼방 놓고, 잠이 오지 않던 리지가 새벽에 나간 들판에서 같은 고민으로 잠을 자지 못한 다아시를 우연히 만났던 때는 마침내 두 사람의 마음이 맞닿아 진심으로 서로의 눈을 바라보게 된 순간이라고 생각한다. 이때 다아시가 "You have bewitched me body and soul"이라고 말하는데, 이 장면을 보면서 매 순간이 서로의 공기였음을 표현하게 되는 아름다운 문장이라는 생각이 들었다. 서로의 소중함을 깨닫고 한없이 사랑하기로 한 각자의 마음속 용기도 예뻐보이는 순간이라 여러 번 봐도 두 사람이 너무 사랑스러워

늘 미소 지으면서 보게 된다.

2. 뮤지컬 〈 아르토, 고흐 〉의 '촛불' - 질문을 불태우기 위해 촛불이 타오른다

올해 본 뮤지컬 중 하나의 뮤지컬을 골라야 한다면 나의 선택은 단연코 뮤지컬 〈아르토, 고흐〉이다. 뮤지컬 〈아르토, 고흐〉는 빈센트 반 고흐를 동경해 그에 대한 에세이를 썼던 실존 인물 앙토냉 아르토의 이야기로, 정신병원을 배경으로 극이 시작된다. 앙토냉 아르토는 극작가, 배우, 연출, 시인으로 1900년대 당시 시대가 고전적 미를 추구하였기 때문에 자신이 추구한 잔혹연극론이 시대와 맞지 않다는 평을 받게 되었고, 결국 잔혹연극이 실패로 돌아가 고통을 받았던 것으로 기록되어 있다. 뇌척수막염 후유증으로 고통받던 아르토는 동시에 신체적, 정신적으로 고통을 받게 되며 정신병원에 입원하게 되고, 자신이 동경한 화가 빈센트 반 고흐를 그의 상상 속에서 만나게 된다. 극 중에서는 아르토, 고흐, 그리고 정신병원의 박사 세 등장인물의 이야기가 전개된다.

뮤지컬 〈아르토, 고흐〉는 특히 매번 공연할 때마다 배우들이 손에 물감을 가득 묻혀 직접 거대한 캔버스에 느낌대로 칠하는, 극 내내 물감을 활용한 극이라는 특징을 가지고 있다. 공연이 끝나면 공연 제작사 SNS에 당일 공연 후 그려진 그림을 담은 큰 캔버스 사진이 매번 업로드된다. 또한 3인의 역할에 각각 3명의 배우들, 총 9명의 배우가 공연하는데, 그날그날 공연하는 페어마다 극의 해석과 캐릭터를 표현하는 느낌들이 조금씩 달라진다. 정해진 대본 안에서 매일 조금씩 다른 디테일을 가지고 다른 그림을 그려 낼 수 있는 공연이라는 점이 이 극의 큰 매력이자 특징이다. 그렇다 보니 배우들이 그려내는 상징물마다 미장센의 향연인 극이며, 공연 페어마다 매 공연의 그림이 다 달라진다는 점까지 더해져 같은 극을 보더라도 매번 다른 극을 보는 것 같은 독특한 매력을 가지고 있다.

매 공연마다 달라지는 디테일을 예로 들어 보자면, 빈센트 반 고흐가 그의 생의 마지막이 다가올 때 그려낸 작품인 〈까마귀가 나는 밀밭〉의 검은색의 까마귀를 무대 위 캔버스에 표현하는데, 이때 아르토가 자신의 오른손 새끼손가락 옆부분에 검은 물감을 붓으로 길게 발라서 무대 중앙 벽에 설치된 사람 몸 만한 큰 캔버스 위쪽으로 날아오르는 장면이 있다. 물감을 바른 손을 새의 날개 모양처럼 둥글게 꺾어 높은 곳에 두 번 쾅쾅 찍어내며 까마귀의 양날개를 표현해 까마귀를 캔버스 오른편에 만들어 내기도 하고, 또 다른 날은 캔버스 왼편에도 까마귀 여러 마리들이 생겨 날아다니기도 한다. 한 배우는 손으로, 다른 배우는 붓으로 캔버스에 까마귀를 표현하는 등 표현 방법도 다양하다.

뮤지컬이 3개월 동안 거의 매일 공연되면, 사실 정해진 틀 그대로 갔을 때 공연하고 기획하는 사람들의 입장에서는 위험부담이 덜하다. 하지만 그 모든 위험부담을 감수하고 대본집 한 페이지를 한 등장인물의 대사로 가득 채울 만큼 철학적 내용을 가득 담은 엄청난 대사량을 바탕으로, 물감을 사용해서 그리고 매번 달라지는 디테일들로 매 공연마다 새로운 것을 시도하겠다는 포부가 극에서 뚜렷이 보였다. 그래서인지 이렇게 실험적인 극이 있었나 싶을 정도로 매 순간 도전적인 극이고, 그래서 더욱더 사랑할 수밖에 없는 극이다.

아르토 역에 유승현 배우님, 고흐 역에 조풍래 배우님, 박사 역에 임별 배우님의 공연을 퇴근한 친구와 보고 왔던 날 친구가 너무 감동적이었다며 공연 끝나고 객석에서 둘이 눈 마주치자마자 "우와…"를 외쳤고 그렇게 혜화역 1번 출구로 가면서까지 둘이서 "우와 대박이다…"라는 감탄사만 연발했었다. "너를 온전히 이해할 수 없다는 것을 이해했어" 라는 아르토의 말에서 상대를 있는 그대로 봐주는 것이 얼마나 힘이 되는지 느낀 것처럼, 극 중 대사와 분위기로 느껴지는 생에 담긴 철학들이 고스란히 느껴지는 공연이라서인 듯하다.

모든 뮤지컬 넘버를 통틀어 한 곡만 딱 들을 수 있다면 <아르토, 고흐>의 넘버 '촛불' 을 듣고 싶다고 해도 과언이 아닐 정도로, '촛불' 은 개인적으로 가장 사랑하는 곡이자 장면이다. "질문을 불태우기 위해 촛불이 타오른다"라는 가사처럼, 수많은 생각과 질문들이 곡의 따뜻함에 들어와 잠시 쉬어가는 느낌이다. 특히 '촛불' 넘버를 시작할 때, 아르토가 고흐에게 '잠들어 있는 감각을 뒤흔들어 잠들어 있는 무의식을 해방시키는 것이 자신이 바라는 연극이다' 는 점을 말하며, 아르토가 한 손에는 촛대를 들고, 다른 한 손으로는 촛대 위로 촛불을 밝히며 넘버를 시작하는 장면은 극

전체를 통틀어 가장 사랑하는 장면이다. 아르토가 켠 촛불만큼이나 따뜻한 공기가 무대를, 객석을 가득 채우는 순간이라서인가 보다. 아르토가 촛불을 켜는 순간 객석을 감싸는 따뜻한 공기가 주는 힘은 정말 그 무엇과도 비교할 수 없다고 생각한다. 순간 켜지는 불꽃처럼 강렬하면서도 따뜻한 온기로 모두를 감싸는 평온함이 모두 깃들어있다.

3. 김보희 작가님의 < Towards > - 평온한 바다의 색채

매년 미술작품들을 한곳에 모아 코엑스에서 개최하는 키아프(Kiaf : 여러 화백과 작가들의 작품을 한곳에 모아 열리는 한국 주관 미술 전시회)를 꾸준히 방문하고 있다. 작년부터는 키아프와 세계적 단위 미술품 전시인 프리즈(Frieze)가 키아프와 같이 열려 피카소, 몬드리안, 앤디 워홀 등 많은 세계적인 예술가들의 작품들도 같이 접할 수 있게 되었다. 신기하게 그림, 미술품에 문외한이었는데 미술관들도 시간 날 때마다 자주 다니고 자꾸 꾸준히 보러 다니다 보니 나의 취향을 찾는 것처럼 여러 작품들 중에서도 나의 온도와 맞는 작품들이 존재하는구나 하는 사실을 알게 되었다. 대학에서 디자인과 사진을 복수전공한 나의 오랜 친구와 전시회에 같이 가서 친구의 취향인 작품과 그 이유를 듣는 것도 재미있었다. 그림과 미술품들을 계속 보다 보니 작년 가을 뉴욕으로 떠난 여행에서 메트로폴리탄 미술관, 현대 미술관, 구겐하임 미술관을 갔을 때도 신기하게 여러 작품들이 더 잘 보였다. 보는 시야를 넓힌다는 건 늘 즐거운 일인 것 같다.

재작년 키아프를 갔다가 자연의 다양한 색채를 담은 김보희 작가님의 작품을 보고선 단번에 매료되었다. 개인적으로 특히 파란 바다가 있는 김보희 작가님 작품들을 좋아하는데, 작품을 간단히 시각화해보자면 캔버스 중앙에서 가로 방향으로 반으로 나누어 위는 짙은 색의 파란 하늘을, 아래는 밝은 청록의 푸르름을 가진 바다를 표현한 작품이다. 김보희 작가님의 파란 바다를 보고 있으면 특유의 색감과 분위기에서 평온함이 느껴져 안정감이 든다.

키아프에서 작품을 보고 21년도에 성북동에서 열린 작가님 개인전 <Towards>도 친구와 다녀왔었는데 가능하다면 집 한 편에 그림을 걸어놓고 두고두고 보고 싶을 만큼 볼 때마다 감명 깊은 작품들의 연속이었다. 멋진 한옥 고택에 여러 바다 그림들이 쭉 놓여있으니 도심 속에서도 평온함이 느껴졌다. 문득 '저 바다에 뛰어들어서 수영하면 얼마나 재밌을까?' 하는 생각도 들었다. 빛에 따라 매 순간 달라지는 바다의 다양한 색채에 한껏 빠졌다가 온 시간이었다.

4. 지브리 스튜디오 < 귀를 기울이면 > - 어른에게도 동화가 필요해

재작년 가을 성수에서 열린 서울국제도서전에 갔을 때, 한층 가득 어른들을 위한 동화가 놓여 있는 것을 보고 '어른들에게도 동화가 필요하구나' 라는 걸 인식하게 된 것 같다. 나이상으로는 어른이 되어도 나의 정신연령은 어릴 때와 같은 곳에 머물러 있다는 생각이 늘 들어서인지 아이 동화와 어른 동화를 나눌 생각을 못 해서 였을지도 모르겠다. 어린 시절 방에 있던 동화책들은 친척 집 아이들에게 물려주거나 다른 집 아이들에게 전해져 더 이상 나의 방에 있지 않지만 내 마음의 방에는 여전히 남아있는 소중한 존재들이다.

오래전 중학생 때 수업을 들으며 책은 배반하지 않는 친구라고 가르쳐 주셨던 논술 선생님을 이번 추석에 가을 코스모스가 예쁘게 핀 카페에서 뵙고 왔다. 선생님께서 <나, 꽃으로 태어났어>라는 예쁜 그림 동화책을 건네주시며 응원의 메시지를 담은 메모지를 책 첫 장에 붙여 깜짝 선물을 해주셨다. 감사한 마음으로 오랜만에 동화책을 읽다 보니 '짧은 글들에서 전해지는 따뜻함은 또 다르구나' 하고 페이지를 꽉 채운 긴 글과는 또 다른 함축적인 말들의 매력을 다시금 깨닫게 되었다.

최근 미야자키 하야오의 마지막 작품인 <그대들은 어떻게 살 것인가>가 나와 영화관에 어머니와, 절친한 친구와 그리고 나 혼자 영화를 보러 갔다. 같은 영화를 여러 번 영화관에서 보는 일이 거의 없었는데 처음 영화를 보고 엔딩 크레딧이 올라가는데 혼자 속으로 박수를 쳤다. 개인적으로 지브리 작품에는 늘 철학이 담겨있다고 생각하는데 10년 지기 친구와 영화를 보고선 끝나고 나오는데 친구가 "지브리는 철학이지!" 그러는 거다. 이래서 이 친구와 내가 한 번도 같이 산 적 없어도 고등학생 때부터 본 10년 지기 친구들 5명 있는 이야기방에서 mbti가 INFJ인 나와 ENFP인 친구의 궁합이 잘 맞는다며 둘이 별명이 룸메이트다.

각설하고, 그렇게 작품이 너무 좋아 철학행 급행열차를 타러 영화관을 여러 번 찾게 되었다. 갈 때마다 작품을 보는 나의 시야가 조금씩 달라지고 꽂히는 포인트가 달라져 볼 때마다 매번 감탄하면서 보고 나온다. 특히 불의 아이인 히미가 주인공 마히토에게 맛있게 토스트를 구워 잼을 가득 올려주고 마히토가 입 주위에 잼을 다 묻혀가며 먹는 모습을 보면 너무 따뜻하고 사랑스럽다. 산모인 나츠코가 있는 산실의 모빌은 원래는 조용히 휘날리는 종이결 만큼이나 평온하지만, 갑자기 주인공 마히토가 예고 없이 방에 들어오자 대하는 사람에 따라 날카로워져 급하게 떼어낸 종이테이프 자국같이 마히토의 얼굴에 흉을 남긴 긴다는 점 역시 인상 깊었다. 개인적으로는 이 부분을 보면서 '나에게는 평온한 어떤 한 존재가 다른 사람에게는 삶을 지나가는 순간마다 흉터를 남길 수 있으며 과해지면 모든 사람의 눈을 가리는 존재가 될 수 있음을 표현해 내지 않았나' 라는 해석을 해봤다.

그리고 히미와 마히토가 큰할아버지가 계신 곳으로 건너가는 강가의 물길 표현이 늘 볼 때마다 뉴욕 현대미술관에서 가장 감명 깊게 봤던 모네의 〈수련〉의 색채와도 같은 느낌을 받아 3초 정도 짧게 지나가는 장면이지만 매번 감탄하며 봤다. 집에 와서도 은은하게 떠오르는 장면 중 하나다. 전체적으로 봤을 때 물가의 색 표현이 따뜻함과 차가움이 담긴, 정반대의 분위기가 섞인 색이라 극과 극이 맞닿아 있는 것처럼 상반된 두 가지의 느낌이 조화롭게 어우러진 장면이라서 인가보다.

동심의 세계로 돌아간 듯한 느낌을 주는 지브리 스튜디오의 여러 작품들 중 개인적으로는 〈귀를 기울이면〉을 학생 때부터 제일 좋아했다. 주인공인 시즈쿠가 노래를 하고 세이지가 바이올린을 켜면, 세이지 할아버지와 할아버지의 친구들이 자연스럽게 모여서 합주하고 노래 부르는 장면을 가장 좋아한다. 보고 있으면 다들 행복한 그 분위기가 너무 예뻐서 나도 모르게 그 장면을 볼 때마다 웃게 되는 따뜻함이 있다.

내 10년 지기 친구는 <모노노케 히메>를, 동생은 늘 <하울의 움직이는 성>을 좋아하고, 아버지는 <붉은 돼지>를 명작으로 손꼽으신다. 어머니는 <빨간 머리 앤> 만화영화를 제일 좋아하셔서 빨간 머리 앤 티포트 세트를 생신에 선물로 드렸었다. 개인적으로 작품이나 책을 추천받는 것을 좋아하는데, 독자 여러분의 동심이 담긴 최애 만화영화는 무엇인지도 궁금해진다.

5. 클래식 - 조성진, 그리고 슈만 피아노 협주곡

동생이 초등학생 때 클라리넷을 연주해서 오케스트라 단원을 했었을 때, 단원 지휘자셨던 선생님이 나의 담임선생님이셔서 기회가 되어 동생, 선생님과 다 같이 대구오페라하우스에 클래식 공연을 보러 갔던 적이 있었다. 여러 성악가분들이 부르는 축배의 노래도 듣고 오케스트라 협연도 들었는데 어릴 때라 무슨 곡인지 정확히는 몰라도 음악 시간에 들은 것 같은 귀에 익숙한 노래들의 향연이었다. 그때 본 공연이 나의 인생 첫 클래식 공연이었다. 여러 유명 인사들도 정장 차림을 하시고 객석 자리 중간 뒤 즈음에 모여계셨다. 고요하고도 차분했던 그날의 객석 분위기가 기억난다.

아버지의 최애 바이올리니스트이자 지휘자인 앙드레 류의 공연 유튜브 영상을 아버지가 자주 틀어놓으셔서 본가에서 밥 먹으며 여러 번 본 적이 있다. 하이델베르크 야외에서 열린 공연을 보면서 아버지가 알고 보면 이 클래식 공연도 이 지역 전국노래자랑 같은 것이지 않나 하셨는데 다들 자유롭게 춤추고 즐기는 모습을 보니 아버지 말씀이 맞는 것도 같다.

개인적으로 클래식에 더 밀접하게 관심을 가지게 된 건 연극 <오만과 편견>을 보러 갔다가 공연 전에 장내에 울려 퍼지는 슈만 음악의 분위기에 반하게 되면서부터였다. 들으면서도 이유 모를 편안함을 느끼게 하는 음악이 있다는 게 스스로도 신기했다.

조성진 피아니스트의 오랜 팬인 친구의 추천으로 작년 10월 조성진 피아노 리사이틀 공연을 처음 보러 갔었다. 친구는 대구에 살고 있어서 대구와 가까운 부산으로,

나는 성남으로 며칠 간격을 두고 같은 주에 조성진 리사이틀을 보러 가게 되었다. 이날 프로그램에 슈만 '세 개의 환상 소곡집 Op. 111'과 '교향적 연습곡 Op. 13'이 있어서 연속해서 듣는데 이때 슈만의 곡들이 확신의 나의 최애 곡임을 느끼게 된 것이다. 2부 슈만곡이 시작되자마자 마음에 이름 모를 강 같은 평화가 찾아왔다. 조성진 피아니스트의 슈만 음악들을 듣고 있으면 다정한 사람들의 얼굴이 스쳐 지나간다. 본능적으로 좋아하는 분위기가 담긴 음악임을 아나보다 싶어 우와 하고 속으로 조용히 감탄하는 와중에 조성진 피아니스트가 그려내는 음들이 너무 섬세하고 아름다워 집중하듯 멍 때리듯 그렇게 듣고 왔다. 세상에 이런 음악도 있구나 싶어지는 기분이었다.

조성진 피아니스트의 피아노 선율에 반하게 되어 이날 공연 후에도 롯데콘서트홀에서 열린 정명훈 지휘자와 1500년대에 창단해 세계에서 가장 오래된 오케스트라 중 하나인 드레스덴 슈타츠카펠레 협연을 보러 올해 초에 다녀왔다. 이날 협연곡은 차이코프스키 피아노 협주곡 1번이라 이미 조금은 알고 있는 곡이어서 귀에 익지 않을까 했었는데 현장감이 충격적으로 좋아서 아직까지 기억에 남는다. 클래식 협연은 정말 현장감이 말도 못 하게 매력적이라 공연 이후에 실황 녹음이 공개되는 공연들은 들을 때마다 현장에서 들었던 그 느낌이 다시 떠올라 감탄이 절로 나온다. 피아니스트와 오케스트라가 한 턴씩 멜로디를 주고받는 부분이 마음을 끌어당기는 힘이 정말 강해서 눈에 보이지 않는 무언가를 꼭 하나씩 주고받는 느낌이다. 전체를 이끄는 지휘자님과 수석 바이올리니스트인 악장님, 오케스트라, 피아니스트, 그리고 분위기 속에서 느껴지는 고요함 속에 들뜸을 가진 관객들까지 뭐하나 빼놓을 수 없는 요소들이 모여 이루는 하모니가 정말 사랑스럽다. 클래식 음악이 말 한마디 없이 음악으로만 이 모든 것을 이루어 낸다는 점에서 음악이 그 자체로 언어가 될 수 있음을 보여준다.

조성진 피아니스트의 곡을 개인적으로 지하철을 탈 때나 이동할 때 많이 들어서 공연을 보고 집에 와서 조성진의 차이코프스키 피아노 협주곡 영상이 있나 하고 찾아봤는데, 유튜브에 다른 시기에 연주한 같은 곡 영상 두 개가 있었다. 같은 연주 영상이어도 나는 패기 어린 조성진의 열정이 녹아있는 4년 전 정명훈 지휘자와의 협연 영상을 좋아하고 친구는 더 완성도 있고 깔끔함이 담긴 1년 전 연주 영상을 더 좋아한다. 청음으로 음을 조금 짚을 수 있어서 뮤지컬이나 클래식 공연을 보고 집에 와서 피아노로 그날 들었던 공연의 음악들을 다시 짚어보는 것을 좋아하는데 조성진 피아니스트의 음악을 듣고서 집에 와서 아무리 연주해 봐도 그 현장의 느낌이 나지 않는다. 당연하다. 그는 조성진이기에 내가 하는 것은 어디까지나 흉내에 불과하구나 하고나 혼자 다시 이전에 들었던 음들을 조금씩 되짚어 보곤 한다.

이번 조성진 피아니스트의 따뜻한 문화예술을 담은 글에서 보이듯, 내 인생의 테마곡을 클래식 음악 한 곡으로 정할 수 있다면 단연 조성진 피아니스트의 슈만 피아노 협주곡일 것이다. 11월 중순에 프로그램 중 슈만 피아노 협주곡이 있었지만 일정이 있어 가지 못했던 예술의 전당에서 열린 안드리스 넬손스 지휘자와 라이프치히 게반트하우스 오케스트라, 조성진 피아니스트 협연이 있었는데 다행히도 이날 공연이 실황 녹화가 되었다는 사실을 조성진 피아니스트의 오랜 팬인 친구를 통해 알게 되었다. 공연을 못 보러 가서 내내 속으로 아쉬워하고 있었는데 실황중계 소식을 듣고 안도의 숨을 내쉬며 스테이지 플러스 유료 중계를 통해 공연이 있었던 날 나흘 뒤 저녁에 실황중계 라이브 스트리밍으로 보게 되었다. 이 자리를 빌려 정기 연주회부터 모든 종류의 클래식 공연을 찾아다니는, 카페에서 나오는 클래식 음악이 궁금해 전화로 물어봤더니 5초 듣고 곡을 알아낸 조성진 피아니스트와 클래식을 사랑하는 나의 오랜 친구에게 다시 한번 감사 인사를 전한다. 친구가 아니었으면 조성진과 슈만 피아노 협주곡을 모르는 세상을 살았을 생각을 하니 약간 아득해진다.

조성진 피아니스트의 슈만 피아노 협주곡은 '이때까지 내가 알던 사랑이 사랑이 맞나?' 하고 다시 돌아보게 할 만큼 강한 사랑의 힘을 가진, 사랑을 재정의하는 느낌이다. 나에게 사랑을 가르쳐 준 사람들의 손을 꼭 붙들고 싶어지는 음악이랄까. 상대가 너무 깊은 심연에 빠져있다면 그 겹겹이 쌓인 생각의 물방울 속에 손을 내밀어 꺼내주고 싶은 사람이 있다. 조성진 피아니스트의 슈만 피아노 협주곡은 그런 이들에게 전해주고픈 사랑의 음악이다.

특히 슈만 피아노 협주곡 3악장은 정말 사랑에 빠질 수밖에 없는 전개이다. 깊고 넓은 한계가 없는 사랑을 음들로 표현해내며, 사랑의 아픔까지 모두 포용하고 사랑하겠다는 대담함이 들린다. 거기에 조성진 피아니스트가 그려내는 슈만의 분위기는 가히 압도적이라 넓디넓은 공연장의 중심을 잡아내고 분위기를 휘어잡는 힘이 있다. 3악장 직전에 피아노로 한 음 한 음 짚어내고 클라리넷, 바순 연주자들과 음을 주고받으며 그의 손에서 별이 떨어지는 소리가 들리는 순간이 있다. 그 직후 바로 지휘자의 강한 신호와 함께 3악장이 시작되면 그의 음악 안에 한 음 한 음 빛나는 별이 가득한 은하수가 담겨있다는 것을 알 수 있다.

개인적으로 조성진 피아니스트의 슈만 앨범을 기다리고 있다. 나의 지인들은 조성진의 슈만 피아노 협주곡이 담긴 앨범이 나오면 불시에 선물 받을지도 모르니 주의해 주기 바란다.

6. 피아노 연주 - 나의 평온과 평안

글의 첫 페이지 제목 위 사진처럼, 내 방엔 한 편엔 피아노가 있다. 어릴 때 집에 외할아버지가 사주신 전자피아노가 있었는데 버튼 한 번으로 튠을 바꾸면 파이프 오르간 소리도 나고 신기한 소리가 나기도 해서 장난감처럼 많이 가지고 놀았던 기억이 난다. 피아노를 주제로 한 뮤지컬들을 많이 보기도 했고, 여러 다양한 피아노 곡들과 뮤지컬 넘버들도 직접 연주해 보고 싶어서 그렇게 한참이 지나 다 커서 다시 방 창문 앞에 놓게 되었다. 초등학생 때 다른 친구들 다니듯이 피아노 학원을 다녔는데 이렇게 또 하고 싶을 때 도움이 되니 무엇이든 다 배워놓으면 쓸모가 있다는 옛말이 틀린 말이 아니구나 싶기도 했다.

중학생 때 어머니가 한자 2급 따면 기타를 사준다고 하셔서 한자 5급부터 2급까지 차례로 따고선 기타를 사주셔서 중학교 3학년 봄방학 때 기타 학원도 다녔고, 서울 집에 뮤지컬 <하데스타운> 굿즈인 우쿨렐레가 있어서 우쿨렐레 강습을 받기도 했다. 열심히 연습해서 같이 여행 다니는 걸 좋아해 단체 티 & 단체 잠옷을 맞춘 나의 10년 지기 친구들 5명이 있는 이야기방에 'Over The Rainbow'를 노래하면서 연주해 들려주기도 했었다. 우쿨렐레가 기타보다 한 줄이 적어서 금방 연주할 수 있었다.

알토 리코더의 낮은 음을 좋아해서 알토 리코더도 배운 적이 있는 등 여러 악기를 다루기 좋아하는데 최근에는 피아노를 열심히 연주하고 있다.

일명 막피아노 영상이라고, 새 악보를 처음 꺼내서 연습하는 날에 늘 나 보려고 찍어두는 영상들이 있다. 나중에 시간이 흘러서 연습을 오래 하고 난 후에 그 영상들을 다시 꺼내보면 그렇게 서툴 수가 없다. 손이 혼자 빨라지고 느려지고 하는 영상이지만 또다시 돌아보면 재미있기도 하다. 영화 <오만과 편견> OST인 'Dawn'을 말 그대로 새벽에 연주해 보기도 하고 뮤지컬 보고 돌아와서 신나면 피아노 앞에 앉아서 빌리 조엘의 'Piano Man'이나 'Vienna'도 연주해 보기도 한다. 접때는 석촌호수에 러닝을 갔다가 피아노가 있길래 빌리 조엘의 'Piano Man'을 연주하고 오기도 했었다. 글의 첫 페이지 사진은 지브리 스튜디오 <하울의 움직이는 성>의 OST인 '인생의 회전목마'를 처음 연습했던 날 사진이다.

피아노 선율은 나에게 평온(平溫)과 평안(平安)을 가져다주는 존재다. 큰 의미로 따지면 두 단어가 비슷하지만 따뜻할 온(溫) 편안할 안(安)이라는 말처럼 따뜻함과 편안함을 모두 주는 존재이기 때문이다.

그리고 부끄럽지만 나의 막피아노 영상 한두 개를 마지막 페이지 QR코드에 있는 나의 네이버 블로그에 같이 첨부해 본다. 영상처럼 뮤지컬 악보들과 뮤지컬 <오페라의 유령>을 보러 친구와 부산에 갔다가 내가 좋아하는 바다에서 찍은 폴라로이드 사진 하나를 늘 악보대에 놓아두고 있다. 뮤지컬 <광염 소나타>의 넘버인 '빛바래지 않게'와 친구와 뮤지컬 <아르토, 고흐>를 보고 와서 신난 나머지 집에서 빌리 조엘의 'Piano Man'을 처음 연주해 본 영상이다. 사실 이날 친구와 뮤지컬 <아르토, 고흐> 공연을 보고 나서 여운이 가시지 않아서 같이 칵테일 집을 오랜만에 같이 가려고 했었다. 그런데 가려고 했던 칵테일 집이 문을 닫아서 둘이 잘 가 하고 인사를 하고선 혼자 집에 가다가 스타벅스에서 좋아하는 음료 하나사들고 집에 와서 신나서 빌리 조엘의 'Piano Man' 악보를 처음 펼쳐서 연주했던 거라 다소 손이 혼자 신나서 날아다니고 있는 점 양해 부탁드린다. 술은 마시지 않았고 얼그레이 바닐라 티 라떼를 한 잔 걸친 상태다.

세상에 스타벅스 사이렌 오더 영수증을 방금 찾아보니 제주 녹차 푸딩까지 사들고 집에 갔던 날이다. 꽤나 신났었나 보다.

7. 그리고 밤하늘의 별

- 서울 하늘에서 만난 별자리, 무박 2일로 떠난 그랜드 캐니언 여행

최근 새벽에 한강을 찾았다가 서울 하늘에서 처음으로 별들을 본 적이 있다. 도심의 건물 불빛이 가득한 서울에서 수십 개의 별들이 빛나는 밤하늘이라니!

한 커플이 하늘에 별자리가 보인다기에 하늘을 봤더니 가을 하늘에만 보인다는 천칭자리가 빛나고 있었다. 각각의 별이 아닌 별자리라는 친구를 책이 아닌 밤하늘에서 처음으로 만난 순간이었다. 그렇게 오래도록 하늘을 보다가 생각보다 별자리라는 게 실제로 보니까 정말 크구나 하는 생각도 들었었다. 천칭자리는 아이들이 그림 그릴 때 집 모양 그리듯이 세모 지붕에 네모 집같이 생긴 모양인데, 크기로 따지자면 야외행사 날에 쓸법한 엄청 큰 천막 하나가 머리 위에 떠있구나 하는 생각이 들 정도였었다.

미국 그랜드 캐니언에 별을 보러 무박 2일로 여행을 떠난 적이 있었다. 넓은 대지에 아름다운 자연의 형상들로만 가득 찬 곳에서 밤까지 기다렸다가 하늘을 보았던 기억이 난다. 오른쪽 위에서 왼쪽 아래로 떨어지듯 사선으로 쭉 펼쳐진 은하수를 보니, 별이 쏟아진다는 게 이런 거구나 싶을 정도로 하늘이 아름다웠다. 별빛 가득한 은하수와 그 주변의 수많은 별들이 밤하늘을 가득 채워 어두운 밤하늘이 환해졌다. 정말 별이 눈처럼 머리 위로 소복이 내릴 것만 같은 풍경이었다.

에필로그 : 정치외교학과 전공생이 문화예술을?

문화예술 분야 10년 차 네이버 블로거지만 사람들이 전공이 정치외교학과라고 하면 다들 놀란다. 대부분의 사람들이 늘 이슈가 많은 그 정치를 보통 떠올리기 때문이지 않을까 생각한다. 10년 전의 팝송을 좋아하는 학생이었던 나는 가족들과 저녁을 먹고 방에 들어와 책상에 앉아서 배철수의 음악캠프를 듣고 있었다. 라디오에 나오는 여러 팝송을 구글에서 영어로 검색하다가 해외펜팔이라는 단어를 처음 알게 되었는데, '한국에는 누가 해외펜팔을 하고 있을까' 하고 궁금해서 네이버에 검색을 했더니 해외펜팔 사이트 이름을 검색했을 때 나오는 검색어가 한 개도 없었다. 그렇게 해외펜팔 사이트를 소개하고 정보를 나누면서 궁금한 점, 주의할 점을 나누며 사람들에게 해외펜팔을 알렸던 글이 내 블로그의 첫 글이었다. 스네일 메일(snail mail: 해외의 친구에게 편지와 선물을 담아 택배로 보내는 것을 말하며, 인터넷 메신저에 비해 달팽이처럼 느리게 간다는 뜻을 가지고 있다)을 하는 법도 소개했는데, 친구들이 좋아하는 K팝 가수의 굿즈와 한국 과자들, 자개 거울, 한국 전통방식의 이쁜 누빔 파우치 등등 친구들 선물을 사서 편지와 함께 우체국에 가서 프랑스, 영국, 튀르키예, 중국 등 여러 나라에 있는 친구들에게 선물을 보낸 후기, 나라별 EMS 가격 등을 정리해서 블로그에 업로드하기 시작했다. 그렇게 많은 사람들이 모여 점점 해외펜팔을 많이 시도하게 되었고, 새로운 것을 시도하는 사람들에게 하나라도 더 많은 정보를 알려주고 싶어 늘 자세하게 글을 쓰고 궁금한 점을 댓글로 물어보시면 아는 정보들을 다 담아 길게 답변을 드렸다. 해외펜팔을 할 정도로 처음부터 영어를 처음부터 잘했던 건 아니었지만 '내 또래 다른 나라 친구들은 어떻게 지낼까?' 하는 나의 호기심이 영어에 대한 두려움보다 컸다. 음악을 늘 좋아해서 팝송과 뮤지컬 넘버를 메인으로 이야기가 전개되는 미국 드라마인 글리(Glee)를 시즌 1부터 6까지 외울 때까지 보기도 했었는데 여러 미국 드라마와 유튜브에 있는 여러 영어 토크쇼 컨텐츠도 자주 보고, 해외펜팔처럼 자주 영어를 쓰는 환경에 노출이 많이 되다 보니 자연스럽게 실력도 늘었다. 10개국 12명의 친구들과 이야기하며 아직까지도 많은 친구들과 교류하고 있는데, 중학교 3학년 때 해외펜팔 사이트에서 만난 프랑스 친구 D와는 특별한 인연을 가지고 있다.

서로 틈날 때마다 메신저로 서로 학교 이야기, 좋아하는 가수 이야기를 많이 주고받았고 우체국 EMS를 통해 스네일 메일을 서로 파리로, 대구로 4년 동안 많이 주고받았다. 서로 화상 전화인 스카이프를 써서 영상통화도 많이 했는데 한국과 프랑스의 시차가 8시간이라 (서머타임 때는 시차가 7시간이 된다) 내가 학교 다녀와서 공부가 끝난 새벽 1~2시면 D는 학교가 끝나고 집에 있는 저녁 9~10시여서 서로 이야기하는 시간이 맞았다. 몇 시간씩 시간 가는 줄 모르고 서로 이야기하면서 언젠간 우리 파리 카페도 같이 가고 서울 카페도 같이 가자고 이야기했었는데 둘 다 모두 생각보다 빠르게 이루어냈다. 상상하는 대로, 구체적인 목표를 세우면 이루어진다는 이야기의 힘을 믿게 된 것도 이때부터인 것 같다.

고등학교 2학년 때, D와 D의 학교 친구 L이 둘이서 나를 만나러 파리에서 대구까지 한국에 처음 놀러 왔었다. 나와 같이 셋이서 같이 내가 다니는 고등학교를 구경하러 갔었는데 복도에서 당시에 학생들 이름을 다 기억하시고 학생들을 많이 아끼셨던 교장 선생님을 복도에서 만나서 교장 선생님이 나의 친구들이라며 다 같이 교무실도 갔다가 담임선생님이 계신 학년실에도 같이 다녀왔다. 교실 반 친구들과 자율학습시간 한 시간 동안 프랑스에 대해서 질의응답하는 시간을 가지기도 했다. 한복 대여를 해주는 동성로 사진관에 다 같이 가서 D, L, 나, 동생 이렇게 넷이서 한복을 입고 사진을 찍기도 하고. 집에 돌아와서는 어머니가 D랑 L이 왔다고 집에서 한식, 양식으로 9첩 반상을 차려주셨다. 다음날에는 아버지 차를 타고 앞산 케이블카도 타러 가고 숲속 맛집에서 밥도 먹고 왔다. 다 같이 앞산 케이블카를 타러 갔을 때 아버지가 친구들끼리 나눠 가지라며 각각 인형을 총 4개 사주신다고 하는 걸 어머니가 친구들 들고 가기 힘들다고 여름이라 예쁜 접이식 한국 전통 부채 4개를 같이 맞춰서 친구들에게 선물하셨고 친구들 부산 여행 떠나는 길에 어머니가 김밥, 유부초밥을 싸서 예쁜 도시락통에 담아 딸들 여행 보내듯 두 친구를 보내셨다. 내가 처음 해외여행을 나간 것이 20살이 된 해 1월에 D와 D의 가족들을 만나러 어머니, 동생과 같이 파리에 갔을 때였다. D의 아버지가 그날 여행을 다 계획해 오셔서 뮤지컬 <오페라의 유령>의 배경이 된 가르니에 오페라극장부터 스테인드글라스가 아름다웠던 생트샤펠 성당도 다 같이 둘러보고, 점심을 멋진 노신사분이 정장을입고 주문을 받으셨던 오래된 프랑스 전통 레스토랑에서 코스요리로 사주셨다.

심지어 조금도 일정을 지체할 수 없다며 우리 지하철 티켓까지 아침에 미리 발권해 놓으셔서 나눠주셨었다. 다 같이 밥을 먹고 cafe de flore라는 유명한 파리의 카페에 갔는데 카페에 다 같이 앉아 한국어, 영어, 프랑스어로 이야기하고 통역하면서 두 가족 모두 다 같이 언젠간 남프랑스로 여행을 가자고 이야기하기도 했었다. 그렇게 파리 여행을 하다가 5시에 퇴근하신 D의 어머니도 만나 뵈어 다 같이 사진을 찍었고, D랑 같이 대구에 놀러 왔었던 L이 (L이 본인의 한국어 이름을 '아란' 이라고 지어서 우리 어머니는 L을 아란이라고 주로 부르신다) 당시에 에펠탑에서 아르바이트를 하고 있어서 떠나기 전에 다 같이 꼭 만나고 싶다며 밤에 떠나기 직전에 우리가 있던 곳까지 뛰어왔었다. 그렇게 아란이와도 서로 인사하고 헤어졌던 기억이 난다. 너무 소중한 추억들이라 가끔 한 번씩 다시 꺼내보는데 이렇게 좋은 사람들이 삶에 있음에 늘 감사하다. D와 있었던 추억 이야기만 하자면 정말 3박 4일 밤을 새워야 해서 이만 여기서 줄여보도록 한다.

해외펜팔을 하고 D를 만나면서 '문화란 국경과 언어의 경계를 쉽게 넘을 수 있게 하는 높은 힘이 있구나' 하는 것을 알게 되었고 자연스럽게 나의 꿈은 문화외교 분야에 대한 관심으로 넘어왔다. 고등학생 때도 늘 나의 목표는 같아서 다른 친구들은 생활기록부가 10장에서 20장 사이일 때 나는 생활기록부를 30장 가득 채울 만큼 여러 관련 활동들을 많이 하고 책도 많이 읽었다. 고등학교 1학년 때 사이버 외교사절단인 반크 동아리를 자율동아리로 개설해서 부원들을 모아 독도도 다녀오고, 유네스코 대구지부 대표로 서울에서 열린 유네스코 한중일 유스포럼에 참가하는 등 문화외교 분야에 활동한 내용들이 많았다.

정치외교학과 특성상 수도권에 대부분의 핵심 기관과 활동들이 집중되어 있어 서울이 늘 기회의 장이라고 생각했고 고등학교 3학년 때 일부 선생님들이 누가 수시 원서를 그렇게 쓰냐고, 예전에 태어났으면 독립운동했겠다며 말리시기도 했지만 고등학교 3학년 때 담임선생님과 지금은 교장선생님이 되신 유네스코 동아리 담당이셨던 진로 선생님, 그리고 어머니, 아버지를 비롯한 가족들이 나를 믿어주셔서 원서를 전부 정치외교학과로 올인해 더 넓은 세상을 보고 싶다는 마음을 가지고 서울로 왔다. 서울에서는 국제기구에서 통역과 행사 진행, 외국인 선생님과 중, 고등학교에 찾아가 문화수업 봉사를 하는 유네스코 CCAP KIV인 자원활동가로 활동하고 여러 번역 작업들을 하는 등 문화외교 분야에 관심을 가지고 활동하고 있다.

나의 펜팔친구 D 역시 파리에서 정치분야를 전공하고 한국에 들어와 서울에서 교환학생을 하고 어학당을 다녔고, 한국지부 NGO에서 활동하면서 동시에 나처럼 여행을 좋아해 여러 곳을 여행도 다니며 지내고 있다. 내가 서울에 있던 대학생 때는 여행 중에 대구를 지나간다면서 대구 사진을 보내주기도 했었고, 고등학생 때는 포르투갈, 프라하에 여행 가서 아름다운 풍경이 담긴 엽서에 꿈을 이루기를 바란다는 메시지를 담아 한국에 있는 나에게 보내주기도 했었다. L은 아름다운 남프랑스의 바다와 영화제로 유명한 니스에서 영화 공부를 하고 현재는 영화 제작사에서 일하고 있다고 한다. 얼마 전에 둘이 파리에서 만났다며 나에게 인사를 보내주기도 했다.

D는 한국을 늘 좋아해서 8월에 한국에서 석사과정을 끝내고 한불영화제에 참석하러 잠시 프랑스에 갔다가 아마 이 책이 나올 즈음엔 유럽연합 대표단으로 서울에 다시 들어와 머문다고 한다. 연극, 뮤지컬이 가득한 혜화에 이번에 집을 구한다고 해서 공연을 같이 볼 혜화인이 한 명 늘어 기쁜 중이다. D와 혜화에서 뮤지컬 <아가사> 총막공을 같이 봤었는데 너무 재밌게 봤다며 다른 공연들도 꼭 보러 가자고 이야기했다. D가 교환학생으로 한국에 있는 동안에 향수를 만드는 체험 공방에도 가고 여러 곳을 같이 많이 다녔었는데, 한 번은 같이 뮤지컬 공연을 보고 닭갈비를 먹으면서 어머니가 전화 오셔서 D랑 통화도 하고 혜화 학림다방에 같이 갔었다. 올리브영에 들러서 화장품도 구경하고 혜화 길거리에 있는 타로집이 D가 신기하다고 해서 가봤는데 신기한 이야기들이 많다며 둘이 웃으면서 나왔던 기억이 난다. 이번에 같이 갈 체험 공방이나 맛집, 카페들도 쭉 봐두는 중이다. D가 한국에 들어오면 공연 보고 추억 만들러 같이 많이 다녀야겠다.

이 글이 나올 수 있는 큰 힘이 된 D를 포함해 나의 가족들과 친구들, 선생님들을 비롯한 소중한 내 사람들에게 다시 한번 감사의 인사를 전한다. 내가 나임을 꾸며내지 않고 솔직한 글을 남길 수 있는 장을 마련해 주시고 처음 출간을 하는 자리인데도 늘 편안한 분위기에서 다 같이 이야기 나눌 수 있도록 도와주신 고유 출판사 이창현 대표님과 박정원 작가님께도 감사의 인사를 남긴다.

대학생이 막 되었을 때 투란도트를 보러 간 적이 있었는데 내 앞자리 노신사분이 가족들과 이야기하며 본인은 투란도트를 6번째 보고 있어 대사를 다 아신다고 하셨던 이야기가 어렴풋이 기억이 난다. 그때만 해도 우와 같은 공연을 6번이나 보시다니 정말 공연을 좋아하시는 분이신가 보다 하고 신기해했는데 지금은 내가 공연 마니아가 되어 문화예술 분야를 다 탐미하고 싶은 욕심을 가지고서 이렇게 글을 쓰고 있다. 사람 인생이란 정말 한 치 앞을 모르는 일이구나 하고 다시금 느끼게 된다.

이 글을 쓰면서 이루고 싶었던 목표는 3가지였다. 첫째, 내가 제일 좋아하는 고전인 <오만과 편견>의 유명한 첫 문장과 같이 인상 깊은 첫 문장을 쓰고 싶은 마음과, 둘째, 나의 사람들에게 감사 인사를 전하는 것 그리고 셋째, 진실 되게 글을 써서 언제나 내가 나일 수 있게, 내 자신에게 부끄럼이 없게 하는 것이다.

그리고 본문에 많은 분들을 언급한 것은, 그분들이 아니었다면 지금의 나 자신이 될 수 없었음을 글을 쓰며 다시 한번 느꼈기 때문이다. 날 믿어주는 사람들이 아니었다면 어떻게 지금 내가 이렇게 글을 쓸 수 있을까 싶어 나의 첫 글 속에 따뜻함과 감사함을 같이 담아 꼭 전하고 싶었다. 나의 삶에 선물처럼 온 가족들, 친구들, 선생님들을 비롯한 모든 분들에게 감사드린다고 전하고 싶었고 앞으로도 나의 삶에 있어 한 걸음 더 나아가려 노력하는 사람이고 싶다.

쓰고 보니 이번 책에 쓰인 내용은 내 인생 이야기의 반의반도 담기지 못한 내용들이라는 생각이 들어 앞으로도 여러 이야기를 계속해서 쓰고 싶다. 개인적인 인생 목표는 '인생을 재밌게 사는 것' 인데, 겸손한 태도로 자신의 것을 정당히 지켜낼 줄 알고, 삶을 즐긴다면 나라는 사람 그대로 충분하다는 생각이 든다.

여러 따뜻한 문화예술이 담긴 잔들 가운데 여러분들이 맛보고 싶은 문화예술이 있었는지 모르겠다. 이 글에 표현된 문화예술 뿐만 아니라 여러분이 앞으로 만나게 될 문화예술도 어떤 잔에 담긴 것이든 담긴 것도 생김새도 모두 다를 뿐, 틀린 것은 없으니 여러분이 원하시는 대로 느끼시는 그대로가 모두 문화예술 그 자체이지 않을까 싶다. 처음 출간하는 자리라 부족한 점이 많아 나의 진심 담긴 서투른 표현들이 많은 분들에게 가닿았을까 설레기도 하고 오히려 돌아보았을 때 치기 어린 글이 되진 않을까 싶어 수줍어진다.

그리고 시간적 여유가 되신다면, 언제든지 편하게 블로그에 한 번 들러 이 글을 읽는 독자분들이 알고 있는 좋은 음악이나 작품이 있다면 저와 같이 나눠주시면 너무 감사할 것 같다. 삶은 너무 짧고 예술은 길다고 하나, 우리가 향유할 수 있는 예술의 시간은 언제나 짧기 때문이다. 날씨는 춥지만 일어나자마자 글 생각이 날 만큼 이야기들을 쓰는데 재미있어서 마음만은 따뜻했던 겨울이었다.

2023년 겨울

따뜻함이 전해지기를 바라는 마음을 담아,

아름한

20년차 기획자의 문장들

서대웅

- 프롤로그
- "브랜딩이 뭐에요? "
- 서대웅 첫 번째 시집 <브랜드엣세이 BrandAtsay>
- "브랜딩은 사랑하는 것! "
- "애완견이 아니라 들개로 살고 싶어..."
- "이젠, 내겐 교수님 밖에 보이질 않아"
- "누구나 계획은 있지.
- 하지만 막상 링 위에 올라가면 얻어 터질 수 있지. "
- "사람에겐 사람이 필요하다"
- "기획에도 사람이 필요하다"

20년차 기획자의 문장들

10년간 기획자로 일했습니다. "마흔, 두 번째 스무 살"이라는 카피에 꽂혀 대기업 광고회사를 탈출 후 프리랜서 기획자가 되었습니다. 그렇게 또 10년 간 기획 일을 했습니다. 그 동안 <컨셉흥신소>와 <기획흥신소> 그리고 <슬램덩크 인생특강>까지 3권의 책을 썼고요. 많은 프로젝트를 해왔고 하고 있습니다. 대기업의 브랜드컨설팅, 마케팅 캠페인 뿐만아니라 0원 마케팅비로 작은 사과농장의 매출을 700% 높여드린 (제 인생) 프로젝트, 대학생 제자들과 같이 악마뿔, 빨간장갑 아이콘 활용하여 거리응원 앱 iReds를 개발하고(0원의 홍보비로 앱스토어 37위) 오프라인에서 거리응원 플래시몹 해서 언론의 주목을 받았던 프로젝트, 슬램덩크 작가와 슬램덩크 기부농구대회/기부전시회를 기획하러 (슬램덩크 찐팬 15명과 함께) 일본에 갔던 프로젝트 등 많은 프로젝트들을 기획하고 실행했었습니다.

그렇게 기획자의 삶을 살아가던 제게 2023년 한 스타트업의 주재원으로 파리에서 1년동안 근무할 '기회'가 찾아왔습니다. 프랑스관광청과 새로운 프로젝트를 '기획' 했습니다. 가슴이 두근 거리고 설레었습니다(이 이야기는 책 후반에 살짝 해드리겠습니다). 그렇게 1년간 파리 주재원 근무를 마치고 한국에 돌아왔습니다. 많은 것이 바뀌 있었고 그 중에 가장 큰 건 제 나이의 앞 자리 숫자가 바뀌었다는 것이었습니다.

'쉰, 내가 쉰이 되다니… 와… 이건 정말…'

지천명 知天命, 공자 선생님이 논어에서 나이 쉰에 천명(天命)을 알았다고 해서 나온 말이라는 건 아는데…

'아아, 하늘의 뜻을 알다니요. 제 뜻도 모르겠는데요…'

솔직히 말해서, 앞으로의 삶이 걱정되고 불안해서 잠도 못 잘 지경이었습니다.

그러던 어느 날 제가 "파리에서 돌아왔습니다"라는 글을 SNS에 올렸는데, 몇 분 지나지 않아 DM이 하나 왔습니다.

편집자 | 대웅님 제 롤모델 이셨어요

나 | 네~??

편집자 | <컨셉흥신소>를 읽고 당시 주니어였던 저는 대웅님처럼 멋진 기획자가 되고 싶다는 생각을 했어요

많이 민망했지만, 솔직히 기분은 좀, 아니 많이 좋았습니다.

나 | 제가 이번에 <20년차 기획자의 문장들>이라는 책을 내보려 하는데요…

같이 책을 내보자는 출판사 편집자님을 만나 얘기를 나누던 중, 그때 마침 책상위에 놓인 제가 쓴 책 <기획흥신소>가 눈에 보였습니다. 그래서 그 책을 펴서 편집자님께 읽어드렸죠.

계획(Plan) vs 기획(Planning) 기회가 계획의 차이가 무엇인지 아시나요?

Plan에는 없고 Planning에만 있는게 보이시나요?

계획(Plan)에는 ing가 없고, vs 기획(Planning)에는 ing가 있습니다.

계획이 명사적 개념이라면, 기획은 현재 진행 중인 동사적 개념입니다.

Planning, 기획하는 중~ 그래서 기획은 계속해야 합니다. 액션할 때까지. 그 기획을 액션할 수 있을 때까지 계속 생각하고, 얘기를 나누고, 수정하고, 보완하고, 계속 ~ing 하는 것이 기획의 핵심입니다.

여러분은 왜 기획을 하시나요? 저는 실행하기 위해서 기획을 합니다. 액션을 하고 싶은 절실한 마음으로 기획을 합니다. 제가 모든 기획을 그렇게 절실한 마음으로 한다고 말하면 뻥이겠습니다. 만, 확실한 건 액션에 대한 강한 욕망이 있어야 좋은 기획이 나온다는 것입니다.

이번에는 한자를 보겠습니다.

계획(計劃) vs. 기획(企劃) 차이점을 찾으셨나요?

'計劃' 에는 없고 '企劃' 에만 있는 게 보이시나요?

네! 계획(計劃)에는 사람(人)이 없고, 기획(企劃)에는 사람(人)이 있습니다.

계획이 셈을 중시하는 개념이라면, 기획은 사람을 중시하는 개념입니다.

그런데 기획단계에서 사람을 생각했지만, 실행단계에서 사람이 빠져버리면 어떻게 될까요. 예전 아프리카 아이들이 물을 먹지 못하는 안타까운 현실을 알고, 어떤 기획자가 놀이기구(뱅뱅이처럼 돌리며 노는)를 설치하자는 아이디어를 냈습니다. 아이들이 그 놀이기구를 돌리면 거기에서 나오는 동력으로 지하에서 물을 끌어올린다는 아이디어였습니다. 놀이를 통해 마실 물을 얻게 하는 기구! 참으로 기발한 기획이죠. 외국의 유명인사들과 단체들이 그 기획을 실행할 수 있도록 큰 돈을 모아줬고 수백개의 놀이기구를 만들었습니다. 그런데 1년이 지나고 나서 그 놀이기구는 흉물이 되었다고 합니다.

대체 무슨 일이 있었던 걸까요? 마실 물이 나올 정도의 동력을 얻으려면 아이들이 학교에도 가지 못 하고 하루 종일 뱅뱅이를 돌려야 했던 것입니다. 그 기획자가 그곳에 머물면서 아이들과 함께 뱅뱅이도 돌려보고 물이 잘 나오는지도 확인 했더라면 많은 돈을 들여 만든 그 놀이기구들이 흉물이 되지는 않았겠죠. 그 기획에는 사람(人)이 빠져 있었던 거죠.

저는 기획은 온전히 사람으로부터 나와서 오롯이 사람을 향해야 한다고 생각합니다.

제가 20년차(베테랑이라기 보단 날라리 쪽에 가까운) 기획자이지만 그 동안 기획 일을 하며 '사람(人)' 들을 만나 나눴던 얘기들, 머리 속에 기억해두었던 말들, 메모장에 적어두었던 문장들을 소개해드리고자 합니다.

"브랜딩이 뭐예요?"

저는 광고기획, 브랜드기획, 신사업 기획 업무를 20년 가량 해 왔습니다.
30대 중반, 넥슨이라는 게임회사를 다니다가 작은 브랜드 컨설팅회사로 이직했는데요.
나중에 한 헤드헌터분이 그러시더군요.
"왜 그런 어리석은 결정을 하셨어요. 네이버나 카카오로 가셨었어야죠."
(흥!) 그러시거나 말거나, 저는 당시 브랜드에 푹~ 빠져 있었습니다.

회사를 다니며 저녁에 공부하는 대학원에 갔습니다.
연세대 언론대학원 광고홍보 전공(인데 저는 브랜드 관련 논문을 썼죠)
재미있는 강의가 몇 개 있었는데, 강의명은 생각이 나지 않네요.
교수님 성함은 생각납니다. 가수 박효신과 같은 이름의 박효신 교수님.

"여러분께서 요즘 가장 마음을 많이 주고 있는 그 주제에 대해
시적으로 poetic 짧게 표현해주세요. 디자인도 조금 하시면 좋구요."

사람, 사랑, 일의 기쁨과 슬픔, 여행... 어떤 걸 주제로 할까 하다가
당시 제가 가장 마음을 주고 있던 건, '브랜드' 였습니다.
저는 브랜드가 사람간의 관계나 사랑과 비슷하다고 생각했습니다.
그래서, '브랜드=사랑' 으로 생각하고 끄적이기 시작했습니다.

브랜드는 [   ] 이다.

그리고, 알파문고에 가서 작은 시집 사이즈로 50부(표지, 내지 16p)를 자비 출판(?)을 했었죠.

지인들에게 나눠줬는데 좋아하더군요.

좋아할 만한 '사람' 들에게만 줬거든요. 하하.

이 작업을 하면서 (어쩌면 태어나서 손 꼽을 정도로) 즐거웠습니다.

나중에는 알파문고 말고 좋은 출판사와 만나 좋은 책을 내고 싶다는 열망이 생겼습니다.

*몇 년 후, 운명처럼 끌리는 [끌리는 책] 출판사를 만나 <컨셉흥신소>, <기획흥신소>를 출간하게 되었죠. 단행본 출간 작업. 드리고 싶은 얘기가 많네요. 책 뒷 부분에 해드리겠습니다.

서대웅, 첫 번째 시집 <브랜드엣세이 BrandAtsay> 중에서

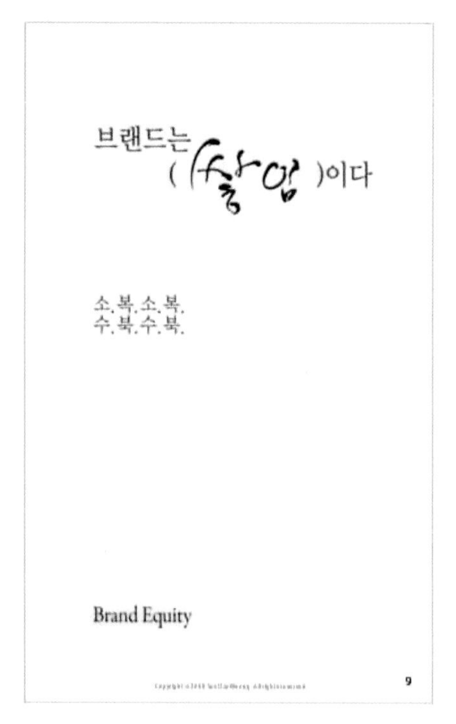

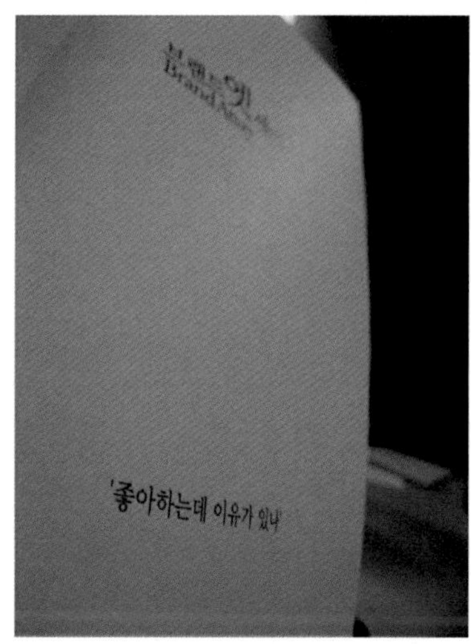

브랜드는
(설레임)이다

설레이고 싶다
설레이게 하고 싶다.

Brand Launching

1

브랜드는
(지킴)이다

약속은 형형하지 않아도 좋다
지긋이
부단히
지켜질 때
오롯이 '**약속**'이 된다

Brand Promise

2

브랜드는
(앎)이다

누군가 묻는다
OOO를 아느냐고
난 대답한다
'안다'고...'

난 OOO에 대해 무엇을 아는가

Brand Awareness

브랜드는
(떠오름)이다

너여,
OOO하면 무엇이 떠오르는가

Brand Recall

브랜드는
(다움)이다

'너 답지 않게 왜그래'

'나 다운게 뭔데...'

Brand Experience

브랜드는
(헤아림)이다

나여,
'소비자분석' 말고
'소비자헤아림' 해보자

Brand Consumer

브랜드는
(끌림)이다

좋아하는데
이유가
있나

Brand Preference

7

브랜드는
(아낌)이다

그대,
지금 아끼는 것이 있는가

Brand Loyalty

8

브랜드는
(쌓임)이다

소.복.소.복.
수.북.수.북.

Brand Equity

9

브랜드는
(울림)이다

진.정.성.

진심은 통하게 되어있다.

Brand Sincerity

10

브랜드는
(행함)이다

보여지고 싶은 바(Identity)를 명확히
Directioning 하고
실체(Reality)를 지며리 개선하며
이미지(Image)간의 간극을
줄여나가는 노.력.

Brand Management

11

브랜드는
(움직씨)이다

브랜드는 '명사'라기 보단
'동사'에 가깝다.

Let the brand communicate

Brand Communication

12

브랜드는

설레임
지킴
앎
떠올림
다움
헤아림
끌림
아낌
쌓임
우러남
행함
움직씨

이다

요즘 누군가 저에게

"브랜딩이 뭐예요?"

물어보신다면
이렇게 답하겠습니다.

광고기획자로도 일해왔기에 광고를 폄하하려는 의도는 없습니다.
만,

이해하시기 편하시도록
광고와 극단적으로 비교하여 조작적 정의를 내려보면,

광고가 꼬시는 것이라면,
브랜딩은 사랑하는 것!

광고가 아는 사람 많이 늘리는 것이라면,
브랜딩은 친구를 만드는 것!

광고가 말하는 것이라면
브랜딩은 말과 행동을 같이 하는 것!

"애완견이 아니라, 들개로 살고 싶어…"

이 친구는 몇 년전에 먼저 대기업에서 나와서
프리랜서(들개) 생활을 하고 있었는데 여전히 들개로 살고 싶다고 하니깐,

음… 여러 가지 잡생각이 들더라구요.

사실 저는 프리랜서 된지 1년 쯤 되었을 때라,
끼니 마다 나오던 밥(매달 따박따박 입금되었던 월급)을
편하게 먹던 시절을 사무치게 그리워하고 있었거든요.

'마흔, 두 번째 스무살' 을 외치며 박차서 나와 놓고는…
사람이 참 간사하죠.
제가 좀 간사합니다.

근데 제가 또 감사를 잘 하는 편입니다.
지금 이렇게 하루 하루 살아있는 것에,
이렇게 끄적이며 쓰고 있다는 것에 존재하고 있다는 것에 감사! (합장)

근데… 저 때, 그러니깐 한 10년 전쯤에
다시 애완견으로 어딘가 (회사로 재취업해서) 들어갔었더라면…

어라, 괜찮았을 거 같네.
10년동안 했던 그 개. 고. 생. 안 했을 테니.

아아, 멍멍~ 으르르~

"이젠, 내겐 교수님 밖에 보이질 않아"

저는 저보다 한참 어린 친구들과 노는 게 좋습니다. 피터팬 신드롬? 그런 건 잘 모르겠습니다. 그냥 그게 좋습니다. 그냥 그게 좋아서 대학교 외래교수(라고 하지만 실은 시간강사)를 세 군데 대학교에서 했었습니다.
그 중 한 대학교, 그냥 학교명을 밝히는 게 더 좋겠네요.
서울예술대학교 광고창작과.
다른 두 학교 친구들보다 훨씬 착하고 훨~씬 돌끼 있었습니다. 그래서, 제가 '너희들은 착똘이야' 라며 자주 칭찬(?)했죠. 하하~

5월 15일, 스승의 날
수업이 있어서 학교에 갔는데 책상에 아이들의 손 편지가 쌓여져 있고 애들이 노래를 부르더군요.
"스승의 은혜는 하늘 같아서~"
(욕 잘하시는 학과장님이 시키셨거나, 학과 전통 인 듯)
민망해서 제발 그만해달라며 두 손 모아 빌었는데, 끝까지 다 부르더군요. 칫!

강의가 끝나고 손편지를 백팩에 넣어 차로 갔습니다. 바로 시동을 걸려다가 5월의 하늘이 너무 파랗고 이뻐서 그리고 편지 내용이 궁금하기도 해서 하나씩 열어봤죠.

전반적으로 강의 재미있었요~ 같은 아부성 멘트들이 비슷비슷하게 변주된 편지들 사이에 좌측엔 〈슬램덩크〉 정대만이 3점 슛을 쏘는 모습을 이미지, 우측엔 새로쓰기로 "이젠, 내겐 교수님 밖에 보이지 않아" 궁서체 손글씨. (원래 대사는 이젠, 내겐 링 밖에 보이지 않아.)

아부는 할려면 제대로 해야한다.

제대로 하면 제대로 먹힌다.

저로선, 여러모로 배운 게 더 많았던 시간이었습니다.

"누구나 계획은 있지.

하지만 막상 링 위에 올라가면 얻어 터질 수 있지."

앞의 링은 농구의 골대 둥근 링,

이 링은 권투의 피 터지는 사각 링,

전 작년에 프랑스 파리에서 1년간 모스타트업 주재원으로 일했습니다.

와~ 프랑스 파리...

다들 부러워하더군요. 저도 제가 부러웠습니다. 맨땅에 헤딩하며 이마에서 피가 철철 나면서도 1, 2 라운드를 미친 듯이 뛰었죠. 3라운드(가을)가 되면서 본사에서 제 연락을 피하기 시작했습니다.

약속했던 체류비가 몇 달째 밀린 상태였구요. (본사 상황이 어려워지기 시작)

제 개인 돈을 쓰며 몇 달째 버티는데 파리 물가가 살인적이라 살인충동이 느껴질 정도로 모든 것에 적개심이 솟아 나더군요. 4라운드(겨울)가 되면서 저는 다리에 힘이 풀리기 시작했습니다. 예상치 못한 상황에 얻어 터지면서 그로기 상태가 되었죠.

에펠탑을 향해 흰 수건을 던지고는 한국에 돌아왔습니다.

지금은 '내 나이에 그런 경험을 어떻게 해 보겠어' 라며 자기합리화 하고 있지만, 아니, 계속 자기합리화 하려 합니다. 자책하며 괴로워하기 보다는 그게 낫기에. 그래야 또 나아갈 수 있기에.

회복탄력성 이라는 말을 아시나요?

저는 대학원 때 <회복탄력성> 책의 저자이신 김주환교수님의 강의로 직접 내용을 들었는데요. 회복탄력성이란 크고 작은 역경과 시련과 실패에 대한 인식을 도약의 발판으로 삼아 더 높이 뛰어 오를 수 있는 마음의 근력이라고 합니다.

<회복탄력성> 책은 나중에 꼭 보시길 추천드리구요.

제가 책의 핵심 내용만 짧게 얘기드리자면, 회복탄력성은 타고나는 거다. 유전적인 부분이 크다. 그런데, 실험을 해보니 유전적인 부분 외에 다른 하나의 조건을 충족했을 때 회복탄력성이 높은 경우가 있다.

그것은 바로 자신을 전적으로 믿어주고 지지하고 응원해주며 사랑해주는 사. 람. 이 있는 경우 그 사람이 가족 중 한 사람일 수도, 연인, 친구, 동네 할머니 혹은 꼬마친구여도 상관없다고, 단 한 '사람명이라고 있으면, 그 사람에게 받은 믿음, 응원, 사랑으로 인해서 회복탄력성이 높아 진다고 합니다.

여러분은 그런 '사람' 이 있으신가요?

"사람에겐 사람이 필요하다"

기획은 잘 하려면 어떻게 해야하나요?

라고 물으신다면, 음, 예를 들어, 화장품과 관련한 기획을 한다고 가정해보죠.

우리 뇌는 명사를 제시하면 분류, 기능을 떠올린다고 합니다.
'화장품!' 이라고 명사를 말하면 우리 뇌는 스킨, 로션, 에센스 등 분류하거나, 화이트닝, 안티에이징 등 기능을 떠올리게 됩니다.

하지만 '화장하다' 동사로 생각하면 TPO(Time, Place, Occasion)랑 연결이 돼서, 언제 화장을 하는지, 어디에서 화장을 하는지, 어떤 상황에서 화장을 하는지, 좋아하는 남자를 만나러 가기 전의 '화장하다'에는 설레임을 찾을 수 있고, 면접을 보러 가기 전의 '화장하다'에는 긴장감을 찾을 수 있겠죠.

명사가 아닌 '동사로 생각하기'를 통해서 사람들의 삶 속으로, 실제 에피소드로, 진짜 이야기로 들어가는 겁니다.
삶의 순간들, 에피소드들, 이야기들에서 기획 방향과 컨셉을 찾는 것이죠.

'○○하다' = '동사로 생각하기'를 통해서
사람들의 희노애락애오욕(喜怒哀樂愛惡慾 기쁨, 분노, 슬픔, 즐거움, 사랑, 미움, 욕망)을 찾아 내는 것이 중요합니다. 잘만 찾아내면 좋은 기획이 되죠.

기획에서 가장 중요한 건 '사람의 마음' 입니다.
고로, 기획은 사람으로부터 나와서 사람을 향해야 합니다.

"기획에도 사람이 필요하다"

가족과 세상을 구하는 남자들

핸우

- 돈 없는 서민이 실력으로 대적할 수 있는 유일한 수단
- 공정한 경쟁보다 공정한 판을 까는게 먼저다
- 내 인생이 실제로 논문에 실립니다
- 진실을 아는데도 아무런 행동도 하지 않는 건, 살아서 느끼는 궁극의 지옥이다
- 화목하지 않은 가정은 잘못된 가정이라 생각했었다
- 바뀌지 않는 학교폭력 현실에 싫증났던 나
- 잘못된 현실을 바꾸기위해 필요한 건 공론화다
- 남녀갈등이 아니라 일방적인 남성혐오다
- 2030남성들은 조던 피터슨, 벤 샤피로, 앤드류 테이트에 왜 열광했을까
- 자유인들에게 행해지는 통제와 구속들
- 아버지 일론 머스크가 트위터를 사버린 이유
- 세상에 못할 말은 없다. 못된 PC주의자는 있다
- 대중이 날카로운 사람을 받아들이고 싶을 때

돈 없는 서민이 실력으로 대적할 수 있는 유일한 수단

나는 중학생 때 선생을 잘못 만났다. 그 선생은 나에게 '경쟁'에 대해 잘못된 가치관을 심었다. '경쟁은 나쁜 것'이라고 가르친 것이다. 세뇌 당한 나에게 대학은 골인지점이 되었다. 대학에 가기만 하면 경쟁이 없을 줄 알고 묵묵히 하루하루를 살았다. 하지만 대학 진학 후, 학점과 취업을 놓고 또 경쟁해야 했다. 그렇게 살아가야 하는 현실에 나는 질려 버렸다.

그래서 나는 경쟁이 싫어졌다. 1학년 1학기 첫 시험을 치르고 정신적 방황에 휩싸였다.

'언제까지 계속 경쟁을 해야 하지?' '아. 공부하기 싫다. 정말'

점점 공부를 손에서 놓기 시작했다. 학점을 신경 쓰지 않고, 시험공부도 게을리 했다.

경쟁에 대한 싫증과 인생에 대한 허망감을 가진 채, 대학 졸업 후 도피하듯 군대에 갔다. ROTC 육군 장교로 임관하여 군복무를 하였다.

군 생활 중 특정 병사와 트러블이 있었다. 그 사건으로 촉발되어 나는 부정적인 감정에 휩싸이게 되었다. 그러다 내 미래가 어떻게 될지 모르는 불안감에 휩싸이게 되었고, 회피하며 살아온 내 인생에 대해 비관하게 되었다.

그러다 우연히 유튜브 영상에서 '조던 피터슨' 교수를 만나게 되었다. 이 역사적인 만남은 나의 엄청난 '터닝포인트'가 되었다. 그는 나의 '노력하지 않고 탓하는 자세'를 다 깨부숴 주었다.

그가 말하길,

‘인생은 고통이라고, 원래 그런거라고, 그냥 받아들이라’

‘하지만 그 고통에 직면했을 때 그 고통을 줄이려고 노력하면 된다’

‘인생을 당신이 원하는 대로 이끌어 갈 수는 없다. 하지만 인생에 있어 최선을 다해 살아볼 필요는 있다’ 고 했다.

그의 말에 나는 충격을 받았다. 내가 생각하기에는 인생은 고통이 아니라고 생각했는데, 그는 ‘인생은 고통’ 이라고 확정을 딱 지어버린거였다.

나는 경쟁에서 발생될 수 있는 ‘패배감’ 때문에 그게 두려워서, 도전하지 않고 도망가고 있었다는 걸 깨닫게 되었다. 패배하는 결과를 받아들이기 싫으니 그저 경쟁은 나쁜 거라고 합리화하며 계속 회피하였던 것이다.

영상을 보고 나는 생각을 달리 먹게 되었다.

‘성공 가능성이 낮다고 해도, 최선을 다해볼 수는 있지 않을까’

그래서 나는 대학시절 미뤘던 도전을 하게 되었다. 대학을 졸업하고 관련 전공 자격증이 하나도 없었던 것이 스스로에게 부끄러웠다. 그 당시에 식품 기업에 취업하고도 싶었다. 그래서 나는 대학교 4학년 때 불합격 했던, ‘식품기사’ 라는 자격증에 재도전하기로 마음 먹게 되었다. 스터디 까페에 결제하고 계획을 세워 3개월 가량 노력한 끝에 합격 하였다. 몇 번의 불합격 때문에 도전을 회피하지 않고 할 수 있는 것부터 조금씩 해가니 성과가 났던 것이다.

‘그래! 되는구나! 최선을 다해 살아볼 필요는 있는 것이였어!’ 난 그 이후로 완전히 다른 인생을 살기 시작했다.

나는 다행히 조던 피터슨이라는 멘토를 만나 삶의 태도가 긍정적으로 바뀌게 되었다. 그런데 어딘가에서 과거의 나처럼 회피를 하며 고통받고 있을 사람이 있을 것 같았다. 내가 겪은 고통을 다른 사람은 겪지 않았으면 하는 마음이 커졌다. 내가 먼저 겪어봤으니 내가 누구보다 잘 격려해줄 수 있고, 동기부여 해줄 수 있을 것 같았다.

그래서 나도 조던 피터슨처럼 다른 사람의 인생을 바꾸는 강연이 하고 싶어졌다. 말로서 타인의 인생을 바꾸는 것이 정말 의미있는 일이라고 생각했기 때문이다. 타인의 인생을 바꿀 정도의 훌륭한 강연가가 되는 것이 나의 인생 목표가 되었다.

나는 대학가서 공부 안하고, 회피와 자리합리화를 하며 스스로를 방치했던 사람이다. 이 행위의 뿌리는 중학교 때부터 가지고 있었던 '경쟁은 나쁜 것' 이라는 생각에서부터 출발하게 된 것을 알았다.

조던 피터슨을 만나고 난 후, '경쟁' 에 대한 정의를 다시 내렸다.

'경쟁은 돈 없는 서민들이 실력으로 대적할 수 있는 유일한 수단이다.'

'만약 경쟁이 없다면, 평등사회가 아닌 세습사회로 이어진다.'

이렇게 내가 정의한 '경쟁' 의 의미를 길 잃고 방황하는 청년들에게 말해주고 싶었다. 내 삶에서 겪은 경험을 통해 나에게 사명감이 생긴 것이다.

공정한 경쟁보다 공정한 판을 까는게 먼저다

이처럼 나는 강연가 되어 '경쟁' 이 '돈 없는 서민이 실력으로 대적할 수 있는 유일한 수단' 이라고 말해야 하는 사람이다. 그런데, 2019년 부모의 인맥으로 딸을 의사로 만드는 입시 비리 사태가 일어났다. 그때 든 생각이 '내가 아무리 강연에서 청년들에게 경쟁에 대해 말해봤자, 부모 잘 만나는 것을 이기지 못하는건가' 라는 생각을 하게 되었고 회의감에 빠지게 되었다.

'이런 상황에 내가 경쟁해야 한다고 말하는 것이 청년들에게 와닿을까.'

결국 내가 내린 결론은 청년들에게 경쟁에 대해 말하기 전에, '공정하게 경쟁할 수 있는 판을 만드는 것' 이 먼저라고 생각하였다. 그때부터 나를 상징할 수 있는 명확한 3개의 핵심 가치관을 세웠다. 그건 바로 '공정한 경쟁', '실력서열체계', '기회의 균등' 이다.

'경쟁은 최대한 공정하게 이루어 질 수 있게 하고, 실력 좋은 사람이 큰 보상 받도록 하여 더 발전될 수 있게 하자. 대신 큰 보상을 받은 이는 보상의 수준에 따라 세금을 통해 기회의 균등이 이루어질 수 있도록 하자. 이런식으로 선순환이 이루어지도록 하자.'

이러한 일련의 과정을 겪으며, 나에게는 더 큰 사명이 생겼다. 강연에서 청년들에게 경쟁에 대한 올바른 인식을 심어줘야 하는 것 뿐만 아니라 세상이 공정한 방향으로 나아갈 수 있도록 해야하는 것이다.

내 인생이 실제로 논문에 실립니다

나는 해야할 일이 많다. 강연장에서 청년들에게 동기부여를 해야하는 동기부여 강연가, 어떠한 사건에 대해 옳고 그름을 잘 논하는 논객, 잘못된 세상에 대해 목소리를 내야하는 대중 연설가까지.

그렇게 스스로에게 부여한 책임감을 가진 채, 세상을 올바르게 보기 위해 깊은 공부를 했다. 약 4년 간의 깊은 공부를 통해 나는 세상이 숨기고 있던 많은 진실을 알게 되었다. 그리고 그 진실들을 유튜브 개인 채널에 공개하였다. 필요하다면 길거리에서 연설을 하면서 대중에게 알리려고 노력했다. 2020년부터 2023년까지 내가 할 수 있는 최선을 다했다.

그렇게 했음에도 무언가 부족한 느낌이 들었다. 그래서 자서전을 쓰려고 마음먹었다. 자서전을 쓰려고 마음을 먹고 며칠 후, 박사과정에 있는 사람으로부터 논문 작성을 위한 인터뷰 요청이 들어왔다. 내가 겪은 생각의 전환과 직접 행동까지 이어진 삶을 논문의 사례로서 연구한다는 것이다. 그때 내가 노력해온 삶이 헛되지 않았음을 증명받은 기분이었다.

2023년 10월29일 일요일, 기분 좋게 논문 인터뷰를 마쳤다. 내 역사로 남기기 위해 인터뷰하는 내 모습을 영상으로 촬영하였다. 인터뷰 후, 명문화 된 글로 후대에 남길 필요성을 더 절실히 느꼈다. 자서전을 쓸 동기가 커져 행동하는데 탄력을 받게 되었다.

앞선 내용은 내가 이렇게 나서는 활동들을 하게 된 이유에 대해 설명하였다. 뒤의 내용은 다음과 같은 내용이 나올 예정이다. 나의 행동력이 어떤 생각과 기질로부터 나오는지, 그리고 내가 어떤 배경을 가진 채로 학창시절을 보냈는지에 대해서 말이다.

간단히 뒷내용을 정리하자면, 나는 갈비뼈가 부러질 정도로 맞으면서도 일진들에게 저항하고자 하는 반골기질을 가지고 있었다. 불합리하게 탄압받는 것에 대해 순응하지 않고 저항하려는 투쟁심이 강해져 이것이 후에 20대, 30대 젊은 남성의 인권을 지켜나가는 활동을 하게 된 이야기를 하고자 한다.

그리고 마지막 부분에는 가족과 세상을 구하려는 자유인들을 구속하고 지배하려는 이데올로기에 대해 말하고 마무리 지으려고 한다.

당신이 만약 페미니즘에 반대하는 남성이라면, 뒷 내용에 흠뻑 취할 것이다. 만약 아니라면 그들이 왜 행동까지 하게 되었는지 이해할 수 있는 시간이 되길 바란다.

진실을 아는데도 아무런 행동도 하지 않는 건, 살아서 느끼는 궁극의 지옥이다

진실은 찾기 전까지 재밌다가 막상 찾으면 고통스럽다. 자신이 지금까지 진실이라고 믿으며 살아왔던 세상과 너무 다르기 때문이다. 세상이 말하는 것의 대부분은 거짓이고, 대중을 쉽게 조종하기 위한 세뇌였다는 것을 여실히 알게 된다.

그리고 진실을 아는 이는 괴로움을 느끼게 된다. 다음 두 가지 선택만 존재하기 때문이다. 진실을 알고도 외면하여 자신의 안위를 챙기는 삶을 살 것이냐? 아니면 스스로 의무감을 부여하여 진실을 알리려 노력하는 삶을 살 것이냐? 즉 진실을 안 순간, 방치할지 아니면 행동할지 선택해야 한다.

나는 진실을 알리려 노력하는 삶을 택하기로 했다. 그 이유는 크게 3가지다.

첫 번째, 위험을 무릅쓰고 진실을 말해준 멘토들 덕분에 내가 좋게 바뀌었기 때문이다. 이 일이 나에게 터닝포인트가 되어 타인을 좋게 바꾸는 것이 나에게 정말 의미있고 행복한 일이 되었다.

두 번째, 가치관과 신념, 그것을 지킴으로서 얻는 고결함이 사람을 더 사람답게 만들어준다고 생각했기 때문이다. 사냥하고 먹고 자는 동물이 아닌, 생각하고 행동하여 끝내 이루어내는 인간의 삶을 살고 싶기 때문이다.

세 번째, 나의 안위만 챙기는 삶보다 미래세대를 위한 세상을 만들어 나가고 싶다. 어차피 잠깐 머물다 가는 게 인생이라면, 이왕 태어난 거 될 때까지 부딪혀보고 싶다.

내가 물질적으로 조금 더 누린다고 해서 엄청 행복해지지는 않을 것 같다. 하지만 내 노력으로 사람이 바뀌고, 세상이 바뀌는 것을 본다면 정말 행복할 것 같다. 그래서 아기들이 태어나고 싶은 세상, 아이들이 살아가고 싶은 세상을 만들고 싶다.

나중에 내가 나이 들어 할아버지가 된다면, 아이들에게 들려줄 이야기 보따리가 많은 할아버지가 되고 싶다. 아이들에게 내가 살아왔던 시대와 내가 한 경험들을 이야기 해줄 것이다. 그래서 나는 본받을 만한 어른이 되어야 한다. 그렇기에 나는 진실을 알고도 침묵하는 어른, 불의를 보고 넘어가는 어른, 미래세대에게 빚을 떠 넘기는 어른이 되어서는 안된다. 나에게는 이러한 소명의식이 있다. 그래서 내가 다른 사람들보다 좀 더 대담해질 수 있는 것이다.

나에게 진실을 아는데도 아무런 행동도 하지 않는 건, 살아서 느끼는 궁극의 지옥이다. 내 인생에서 후회를 남기지 않는 유일한 선택지는 '가치있는 일을 위해 고통받는 것' 밖에 없다. 그래서 어쩔 수 없이 난 이 길을 가야한다. 나는 진실을 알리고 올바른 세상을 만들기 위해 그에 수반된 고통을 기꺼이 짊어지기로 택했다.

아무튼 막 30살이 된 현재, 이야기 보따리가 많이 무거워져서 한번 내려놓을 필요성을 느꼈다. 그동안 쌓은 지식과 현 시대가 어떻게 흘러가고 있는지에 대한 통찰을 꺼내놓고 싶다. 나 혼자 가지고 있기에 그리고 나 홀로 감당하기에 너무 버겁기도 하다.

내가 이야기 할 내용은 나의 과거 이야기, 페미니즘과 PC주의에 대한 비평, 그리고 세상에 대한 진실들이다. 주제만으로 불편을 느끼는 사람이 있을 수 있다. 하지만 그거야말로 조종하는 세력이 원하는대로 흘러가는거다. 진실은 언제나 불편하다. 지금까지 자신이 알고 있던 게 조종, 세뇌, 거짓, 선동, 사기였다는 것을 인정해야하기 때문이다.

대중은 미디어의 선동으로 타인의 의견을 곧이 곧대로 따라갈 위험이 크다. 그래서 개인으로서 어떠한 이슈나 사건에 대해 생각하고 자신의 의견을 정리할 줄 알아야 한다. 말만 떠들지 않고 이 글을 통해 보여주겠다.

화목하지 않은 가정은 잘못된 가정이라 생각했었다

학교에서 가정은 화목해야한다고 배웠다. 하지만 우리집은 화목하지 않았다. 그래서 나는 우리집을 '잘못된 가정' 이라고 생각했다. 화목하지 않은 가장 큰 이유는 가난 때문이었다.

1998년도 쯤, IMF 외환위기로 촉발된 가난이 거진 20년동안 이어졌다. 아버지께서는 주유소 사업을 하시다가 보증을 잘못 서고, 사기 당하는 바람에 1억원 이상의 빚이 있었다. 그 빚 때문에 집에 있는 가구가 홀라당 다 없어질 뻔한 경험이 있다.

검은 양복을 입은 아저씨들 5~6명이 압류스티커(일명 빨간딱지)를 들고 내 눈 앞에서 왔다갔다하며 붙이는 것을 보았다. 집안에 있는 싸구려 컴퓨터부터 스탠드 옷걸이까지 모든 가구에 다 붙여졌다. 나는 안방에 있는 조그만한 TV를 보며 쪼그려앉아서 벙쪄있었다. 보고 있었던 TV에도 당연히 빨간딱지가 붙여졌다.

공무집행하는 국세청 아저씨들이 한바탕 붙이고 떠났다. 곧바로 나는 나의 짱구 책가방을 확인해보았다. 다행히 나의 짱구 책가방에는 안 붙여졌더라. 이것만큼은 정말 다행이였다. 빨간딱지 붙은 가방메고 학교에 가면, 내가 가난한 형편이라는 것을 친구들이 다 알게 되니까. 집이 가난하다는게 부끄러웠다.

이 빨간딱지가 붙여지는 기억은 나에게 트라우마로 남아서 절대 지워지지 않는 기억이 되었다. 그리고 가난했기에 철이 빨리 들었다. 그리고 웃음이 없어졌다.

아버지는 갚을 능력이 없어 노역장에 유치되었다. 유치원 때 어머니 손에 이끌려 버스 타고 함께 면회를 간 기억이 어렴풋이 난다. 그 당시 나이가 다섯 살 쯤이였다. 너무 어려서 거기가 뭐하는 곳인지 몰랐다. 영화에서 보던 면회장과 비슷한 구조라는 것을 나중에 알았다. 그래서 거기가 면회장이었다는 것을 알게되었다.

초등학교에서 '가정은 화목해야 한다' 고 배웠다. 하지만 우리 집은 전혀 화목하지 않았다. 그래서 우리 집은 '화목하지 않아 잘못되었다' 고 생각했다.

한참 후에 나는 가정에 대한 이 생각을 재정립했다. '가정은 화목한 게 아니라 화목해지기 위해 서로 노력해야 하는 것' 으로 말이다. 또 화목하지 않은 가정 또한 화목해지기 위해 노력하고 있다는 점에서 '화목' 은 '결과' 가 아니라 '방향' 이 되어야 한다는 생각도 하였다.

내가 학교 선생님이라면, '가정은 화목해야 한다' 고 가르치지 않을거다. 대신 이렇게 가르칠 것이다.

'가정이 모두 화목하면 좋겠지만, 어떤 가정은 화목하지 않을 수 있다. 화목한 가정을 이루기 위해 노력하는 가족구성원이 되어보자.'

바뀌지 않는 학교폭력 현실에 싫증났던 나

나는 다른 학생들과 다르다고 생각했다. 화목한 가정에서 자란 동급생들과 같이 학교생활을 하자니 기분이 이상했다. 나는 그들과 다르니까. 우리집은 가난해서 나는 실하게 웃을 여유가 없었다. 그래서 학교생활 내내 크게 웃어본 적이 없다.

또 잘 웃지 않은 이유가 있었다. 학교폭력에 노출된 동급생이 있었기 때문이다. 떼지어 다니는 일진 친구들이 가난하고, 말이 어눌하며 어딘가 부족해보이는 친구를 일방적으로 때렸다.

학교폭력을 일삼는 일진들한테도 짜증났지만, 폭력행위가 적발되더라도 반성문 작성과 단순 훈계로만 마무리 짓고 끝내는 선생님들도 역겨웠다. 학교폭력 사건이 대충 마무리 되고 며칠 지나 잠잠해지면 학교폭력 피해자는 보복폭행으로 훨씬 더 많이 맞는다. 당시의 시대, 학교 내에서 이러한 일들이 되풀이되어 결국 '2011년 대구 중학생 집단괴롭힘 자살사건' 이 일어났다고 본다.

아무튼 나는 무언가 나만의 방식으로 학교 일진들의 폭행 사회에 저항하고 싶었다. 나는 폭력 피해자에게 관심을 가져주었고 많은 대화를 시도했다. 그리고 폭력 행위를 하는 동급생에게 퉁명스럽게 대하는 방식으로 조금씩 배제되길 원했다. 학교의 소극적인 조치가 벌어질 것을 알았기에 내가 할 수 있는 어쩔 수 없는 최선이었다.

초등학교 학교폭력 설문조사 때, 동급생이 폭력 당하는 것을 보았다고 나만 구체적으로 길게 썼다. 주변 친구들은 아무도 안 적는데, 나만 글짓기 산문 시험에 나온 것처럼 열심히 적어댔다. 하지만 바뀐 건 아무것도 없었고, 괜히 일진들에게 안 좋은 인상만 계속 남기게 되었다. 내가 그렇게 튀는 행동을 하고, 다른 남자 동급생들은 다 자기들 밑으로 굽신거리며 기는데, 나만 안 굽신거리니 아니꼬웠는지 한 일진 무리에게 찍혔었다.

나는 체구는 작았지만 어려서부터 태권도를 다녔으며, 운동신경이 좋고 무엇보다 깡다구가 있어서 일진들에게 별로 쫄지 않았다. 나는 학교생활에 웃지도 않고 생활을 했으며, 일진들이 장난을 친다며 폭력을 가해도 정색했던 터라 건드리기 까다로운 놈이였다. 키는 작은데 성질이 불 같아서 귀찮은 일 생길까봐 건드리지 않았다. 일진들이 나보고 '싸가지 없다' 며 언젠가 나를 '밟아버리려고 벼르고 있다' 고 전해 들었다.

지역이 다 근처여서 중학교로 가니 같은 일진 무리를 만나게 되었다. 중학교 2학년 여름방학에 결국 나는 찍혔던 그 일진 애들에게 집단 폭행을 당했다. 지하 주차장과 폐가 등지에서 여러 장소를 옮겨 다니며 2일 간 거의 수백대 가량을 맞았다. 주로 맞은 부위는 옷에 가려 안 보이는 부위인 어깨, 팔뚝, 배, 허벅지, 무릎 등을 맞았으며, 맞는 도중 코도 맞아서 코피가 멎지 않아 고생하기도 했다. 특히 왼쪽 어깨 팔뚝은 손바닥만한 검정 멍이 들었고, 제일 심각한 부상은 왼쪽 갈비뼈 3개가 부러졌다.

첫날 폭행 당했을 당시, 어머니께 말씀드려야겠다는 생각도 했으나 당시 어머니는 내 눈에 너무 약해보였다. 그리고 어머니에게 마음 아픈 일이 안 생겼으면 좋겠다고도 생각했다. 무엇보다 이 상황은 말해봤자 해결되지 않을 것 같았다. 그냥 반성문 쓰고 봉사활동 청소 몇 시간 시키고 끝낼 것 같았다. 그래서 그냥 다음날도 맞고 끝내려고 했다.

폭행 2일 째, 다 맞고 나서 집에 들어왔었다. 너무 아파서 누워있으려니, 다른 곳은 다 참겠는데 왼쪽 갈비뼈는 움직일 때마다 너무 아팠다. 누울려고 하거나, 누웠다가 밥 먹으려고 앉는 등 몸을 움직일 때마다 아프고, 숨 쉬는 거조차 갈비뼈가 움직여서 아파 결국 티를 낼 수밖에 없었다.

결국 어머니가 눈치채고 나를 추궁했다. 나는 학교에 신고해봤자 변하는 게 없다며 어차피 안 바뀔 거 내가 맞고 끝내는 게 좋겠다고 어머니에게 말했다. 너무 아파서 내가 잠든 사이, 어머니는 외삼촌과 담임 선생님에게 전화를 걸어 집단폭행을 당한 사실을 알리셨다. 담임 선생님께서는 학교보다 경찰서로 가서 신고하라고 강력히 어필하셨다. 학교에 말해봤자 일을 축소시키려고 할 게 담임선생님께도 보였나보다.

그렇게 다음 날, 나는 등교하지 않고 어머니도 일을 쉬고, 둘이 함께 경찰서에 가서 폭행 사실에 대해 고소를 하였고, 그 날 바로 병원에 입원하였다. 입원비가 비싸서 나는 입원하지 않으려고 했으나, 가해자에게 청구하면 된다는 말에 그리고 어머니가 일을 나가시면 혼자서 밥을 먹을 수 있는 몸이 아니여서 어쩔 수 없이 입원하기로 했다.

수일 후, 폭력 가해자의 부모들이 과일, 음료수 등을 한 아름 싸들고 내가 입원한 병실을 찾아왔다. 그러고 나에게 미안하다고 하며 어머니께 합의해달라고 빌었다. 당시 나는 가해자들이 매우 껄끄러웠기 때문에, 가해자들이 내가 입원한 병원에 오는 것을 원하지 않는다고 형사님께 말했기에 가해자들은 오지 않았다.

당시 담임 선생님께서 아이스크림 사들고 내가 입원한 병실에 자주 와주셨다. 그때 나의 학교생활이 궁금했던 어머니가 선생님께 묻자 선생님께서는 “얘가 학교생활은 착실하게 잘하는데, 도통 웃지를 않는다. 또래보다 너무 빨리 철이 든 것 같다”고 하셨다.

담임 선생님께서 보시는 게 정확했다. 나는 다른 친구들과 달리 웃지 않았다. 그 이유는 가난하고 화목하지 않았던 가정환경과 일진들의 폭행 사회였던 학교 환경 때문에 웃을 수 없었다. 어린 나이에 내가 가정에서 경험한 가난과 직접 겪었던 학교라는 사회는 깨끗하지 않다고 생각했기 때문이다.

집단 폭행 사건을 겪기 전, 나의 세계관에서 학교의 교칙 질서는 무능력하고 오히려 사태를 악화시킨다고 생각했다. 같은 반에서 싸움이 아닌 일방적인 폭력이 일어나도 반성문 수준으로 끝냈기 때문이다. 또 가해자와 피해자를 같은 반에 놔두어 보복폭행이 일어나도록 방치했으며 오히려 사태를 더 악화시켰다.

그런데 ‘학교’ 말고 ‘경찰’이라는 사법적 질서는 강력했다. 나의 집단 폭행 사건 담당 형사는 곧바로 학교에 집단폭행 사실을 알리고, 가해자들을 학교 수업을 받지 못하게 하였다. 진술에 대해 입을 맞추지 못하도록 각각 분리시켰다. 학생부는 가해자들을 상대로 진술서를 작성하게 하고, 후에 형사가 직접 학교로 와서 경찰차에 태워 가해자들을 데려갔다고 했다.

가해자는 총 5명이고, 그 중에 제일 심하게 폭행한 사람은 2명이다. 폭행사실에 대해서는 인정했지만, 어떤 가해자는 폭행 수준에 대해 부인하다가 구체적인 나의 진술과 명확한 현장 증거에 결국 혐의를 인정하고 선처를 요구했다. 그런데, 촉법소년이 아닌, 만 14세를 넘는 사람은 한 사람밖에 없었다. 심지어 제일 심하게 폭행한 2명은 촉법소년이였다. 결국 형사미성년자로서 소년보호사건으로 분류되어 보호처분을 받는 수준에서 끝났다.

어머니께서는 결국 합의를 해야 돈을 받을 수 있다는 판단으로 한 사람당 100만원 정도로 합의를 받고, 그 마저도 제일 폭행을 심하게 한 사람은 가난하다는 이유로 합의금을 내지 않았다. 결국 400만원 받고 끝났다.

내가 당한 이 집단폭행 사건은 피해자인 내가 갈비뼈 3개가 부러지고, 형사가 학교에 직접 오고, 가해자를 강제전학 보낸 사건으로 전교에 소문이 났다. 구체적인 피해 내용인 갈비뼈 골절까지 알 리 없는데, 가해자가 내 갈비뼈 부숴뜨렸다고 자랑하고 다닌 것이다.

학교폭력 가해자들은 절대 반성을 하지 않는다는 것을 깨달았다. 애초에 잘못된 행위라고 생각했다면 그런 행위를 저지르지 않았을 것이다. 지속적으로 범죄를 저지르는 자는 그 범죄가 아무렇지 않다고 생각하기 때문에 저지르는 것이다. 그래서 범죄자에게는 강력한 처벌과 사회로부터의 분리가 우선되어야 한다고 생각한다.

나는 이 사건을 겪고 어머니는 강하다는 생각을 하였다. 어머니는 아들의 폭행 사실을 기관에 알리셨다. 그리고 적법한 절차대로 가해자들을 처벌받게 하였다. 큰 용기를 가지고 계신 분이었다. 반면 나는, 신고를 해도 바뀌지 않는 학교폭력 현실에 질려서 나 혼자 맞고 끝내려고 했다. 당장 끝나는 쉬운 해결을 하려고 했다.

그런데, 내 사건으로 '학교폭력에 경찰이 개입할 수 있다'는 선례를 남겼고, 일진들을 강제전학 보내버려 학교에 평화가 오게 만들었다. 만약 경찰에 신고하지 않았다면, 선례를 남기지도 강제전학을 보내지도 못했을 것이다. 또 나는 안 맞더라도 다른 친구가 맞을 수 있다는 위험성을 가진 채, 학교생활이 이어졌을 것이다.

잘못된 현실을 바꾸기위해 필요한 건 공론화다

앞선 내용을 요약하자면, '일진들의 학교폭력에 내 나름대로 저항하다 결국 집단폭행 당해서 경찰에 신고하여 강제전학 보낸 이야기' 라고 할 수 있겠다.

이 사건을 통해 배운 게 크게 두 가지가 있다.
첫 번째, 범죄 피해를 막기 위해서는 반드시 더 강한 힘이 작용되어야 한다는 것
두 번째, 바뀌지 않는 현실에 타협하지 말고, 바꾸려는 행위를 해야한다는 것

이 두 가지를 실현시키기 위해서는 '공론화' 가 필요하다. 공론화를 위해서는 영향력을 가지고 있는 언론 역할을 할 미디어 채널이 필요하다. 잘못된 현실을 바꾸기 위해서는 공론화를 통해 많은 사람들의 사회적 공분을 사서 여론을 형성해 정치권을 압박해야 한다.

어느 한 유튜브 채널에서는 학교폭력 피해자에 대한 이야기를 다루어 이슈가 되었다. 또 어떤 사건은 단순 폭행사건으로 끝날 수 있었던 사건을 공론화하여 성폭행 조사까지 이어지게 하여 재판받을 수 있게 하였다.

이처럼 우리는 공론화 유튜브 채널을 통해 도움을 요청할 수 있다. 개인이 언론 역할을 할 수 있는 영향력 있는 SNS채널을 가지고 있으면 더욱 좋다.

그런데 자신이 억울한 일을 당해도 언론은 조망해주지 않을 수 있다. 왜냐하면 대중이 관심없을 기사거리는 보도해주지 않을 수 있으며, 편향적인 언론은 자신들과 동맹 맺은 집단의 이익을 위해 오히려 왜곡된 보도까지 할 수 있기 때문이다.

남녀갈등이 아니라 일방적인 남성혐오다

한국에는 남성과 여성을 서로 혐오하게 만드려는 세력이 있다. 이들은 갈라치기를 통해 집단을 분노시키고 혼란스러운 상태로 만드려고 한다. 그래서 자신 스스로 헤쳐나가는 삶이 아니라 국가에게 의지하는 삶을 만들려고 한다. 이들의 최종 목표는 출산율을 떨어뜨려 국방력과 경제력을 약화시키는 동시에, 국가의 이름으로 개인을 통제하고 지배하는 것이다.

양성을 서로 혐오하게 하여 갈등을 일으켜야 세금을 취할 수 있는 집단이 있다. 문제를 해결하고자 하는 것이 아니라 문제를 증폭시키는 것이다.

기득권을 누리고 세금을 취하려고 하는 이 집단 이기주의자들은 자유 대한민국을 공산화시키려는 북한과 그 방향이 같아 북한의 지령을 받고 국가전복 행위를 하기도 한다.

그래서 이들은 북한으로부터 뇌물을 받은 것을 처벌하지 못하도록 '국가보안법'을 폐지하려고 하고, 자유롭게 비판하지 못하게 하려고 '차별금지법'을 만들어 시민을 옥죈다.

내가 앞서 편향적인 언론은 자신들과 동맹 맺은 집단의 이익을 위해 왜곡된 보도를 할 수 있다고 하였다. 최근 수년 간, 언론에서는 페미니스트 집단에 대해 우호적인 보도를 하였다.

아래는 남성혐오를 주입시키는 대표적인 사건을 정리하였다.

- 2016년 5월17일 강남 묻지마 살인사건

일반적인 살인사건에 '여자라서 죽었다'는 표어를 사용하여 성별프레임을 씌웠다.

- 2018년 워마드, 홍익대 남자누드모델 수업 중 도찰 사건

도촬피해를 당한 건 남성인데, 오히려 편파적인 수사를 하고 있다는 궤변을 늘어놓으며 수차례의 홍대 집회를 정치단체 주최로 개최함.

- 2018년 11월13일, 이수역 폭행사건

혜화역 시위로 만난 여성 2명이 왜곡해서 작성한 청와대 국민청원 30만명을 돌파시킴. 후에 당시 촬영된 영상을 확인해보니 여성측이 먼저 남성측에게 남성비하적 말을 하였고, 여자가 남자에게 당했다고 한 부상은 CCTV로 확인해보니 자기가 넘어진 것으로 판명났다.

- 2020년 7월27일, 안산 남성혐오 의혹 제기 사건이자 남성 혐오 조작 선동

양궁선수 안산에게 외국사람이 숏컷에 대해 물어본 남긴 댓글 캡쳐를 통해 조작하였다. 남성커뮤니티에서 숏컷을 했다고 페미니스트로 몰았다고 했지만, 그게 아니라 남혐 용어를 사용해서 물어본 것 이였다. 심지어 양궁협회에 금메달 박탈하라는 남성들의 전화테러가 행해지고 있다고 주장했지만 그런 사실이 없다고 양궁협회에서 직접 밝힘.

- 2021년 5월, GS25 남성혐오 포스터 논란

캠핑 이벤트를 알리는 홍보 포스터에 남성을 비하하는 이미지를 넣어 남성혐오 논란을 일으킴. 이 사건으로 기업의 주가는 폭락을 하는 등 막대한 피해를 끼침.

- 2023년 11월25일, 스튜디오 뿌리 남성혐오 논란

게임 그림 그려주는 하청 기업에서 원청인 게임회사에 막대한 피해를 끼친 사건. 사건 행위자는 과거 트위터에서 남성을 혐오하는 내용과 그 행위를 하겠다는 선포를 하고 실제로 게임 곳곳에 남성혐오 표식을 하였음.

이러한 사실들이 어떻게 남녀갈등인가? 편향적인 언론이 일방적으로 남자를 혐오하는 것이다. 2030남성들의 이미지를 범죄자로 만들어, 성별 갈라치기를 통해 지

지세력을 얻기 위함인 것이다. 갈등을 일으키는 세력은 2030남성을 잠재적 살인자, 잠재적 성범죄자, 여성혐오자 취급을 한다.

학교라는 사회에서 학교폭력 당하는 피해자처럼, 한국이라는 국가에서 2030남성은 집단 인권유린을 당하고 있다. 2030남성들은 일방적으로 맞고 있는 학교폭력의 피해자와 처지가 같다. 그래서 나는 무시할 수 없다. 고개 빳빳이 들고 맞서고 있다.

2030남성들은 조던 피터슨, 벤 샤피로, 앤드류 테이트에 왜 열광했을까

2030남성을 향한 일방적인 음해가 지속적으로 일어나고 있었다. 그들의 입장을 대변해주는 어른이 없었다. 사회적으로 지위가 있는 사람은 입을 꾹 닫았다. 올바른 말을 해주는 멘토가 상실된 것이다. 그래서 계속 무기력한 삶을 이어가는 청년들에게 옳고 그름을 명확히 말해주는 어른이 등장한 것이다. 그 첫 타자가 바로 조던 피터슨이었다.

조던 피터슨은 토론토대학교 심리학과 교수로, 캐나다의 'Bill C-16' 법에 반대하여 자신이 재직하는 캠퍼스에서 1인집회를 하였다. 당시 반대하는 무리들과 대적하는 영상이 유튜브를 통해 많은 사람들에게 알려지게 되었다.

전 세계는 '피터슨 현상' 이라고 불릴 정도로 큰 인기를 얻었다. 그의 저서 '12가지 인생의 법칙' 은 한국에서도 인기를 끈 세계적인 베스트셀러이다. 한국에서는

2019년 즈음, 유튜브 영상을 통해 많이 알려지게 되었다.

조던 피터슨은 책임에 굶주려 있는 젊은 남자들에게 책임이야말로 삶의 의미를 부여한다며, 책임을 선택해서 등에 짊어져야 한다고 했다. 방구석에서 웅크려있는 청년들에게 방 정리부터 하고 계획을 세워 실천해라고 했다. 하루하루 규율을 지켜나가, 조금씩 나아지는 자신에 대해 성취감을 느끼라고 했다. 그리고 실력을 키워 해결하는 사람이 되어라고 했다.

2021년 한국에서는 '벤 샤피로'도 유명해졌다. 벤 샤피로는 보수주의자 정치평론가로서, 자유시장에 대한 깊은 이해를 바탕으로 좌파들과 많은 토론을 하였다. 특히 한국영화 '기생충'과 '오징어게임'에 있는 반자본주의 사상에 대한 내용을 영상으로 평론하였다.

영상에서 그는 가장 '오징어게임' 같은 국가는 북한이라고 했다. 상위 권력층만 부귀영화를 누리고, 배급제를 실시하며, 실제로 총살이 행해지고, 공개처형을 행하기 때문이라고 했다. 실제로 북한에서는 '오징어게임'을 들여온 북한주민은 총살 당했고, 구입한 학생은 무기징역을 당했다.

2022년은 완전 '앤드류 테이트'의 해였다. 페미니즘에 반대하는 그의 시원한 영상 속 발언들이 화제가 되면서 인기를 끌었다. 세계적으로 젊은 남자들에게 선풍적인 인기를 끌었는데, 그 이유는 열심히 운동하고 노력하여 가난에서 벗어나라고 끊임없는 동기부여를 해주었기 때문이다.

또 그는 권력자들이 '코로나 바이러스'를 이용하여 세계의 여러 사람들을 과대한 공포감으로 조종했고, 이를 이용해 제약회사는 백신으로 천문학적인 돈을 벌었다는 이야기를 하였다.

그가 자주 언급하는 '매트릭스'는 지배자, 권력자들이 시민을 세뇌시켜 가두는 프레임이다. 그들의 목표는 시민의 자유를 빼앗고 조종하고 지배하는 것이다. 그 중 하나가 안전에 대한 공포심을 유발시켜 그들의 지배에 순순히 따라오도록 만드는 것이다.

나는 사실 앤드류테이트가 말하는 '매트릭스' 에 대한 내용은 깊은 공부를 통해 원래 알고 있었다. 그는 세상을 지배하려는 집단들이 내새우는 프로파간다를, 영화 '매트릭스' 에 비유하여 아주 명쾌하고 쉽게 설명하는 것을 보고 정말 경이로웠다.

조던 피터슨, 벤 샤피로, 앤드류테이트까지 젊은 남성들의 세계적인 열풍이 이어졌다. 이를 통해 당연한 말을 당당하게 해주는 어른이 필요했다는 것을 알 수 있다.

'책임질 가치를 정해라', '노력해라' 등 어쩌면 뻔한 말을 듣고 싶었지만, 함부로 발언을 못하게 하는 세상에 응어리가 진것이다. 이러한 열풍을 보아 그만큼 책임에 목마르고, 노력하고 싶은 남자가 많았다는 걸 알 수 있었다.

자유인들에게 행해지는 통제와 구속들

조던피터슨, 벤샤피로, 앤드류테이트는 PC주의 때문에 입을 닫았던 사람들과 달리, 마음껏 말하여 의견을 발산시킨 자유인이었다.

그런데 이러한 자유인들에게 'Big-Tech'라 불리는 각종 소셜미디어들은 검열을 들이밀며 입에 재갈을 물렸다. 소셜미디어가 압박을 통해 자유인을 길들이려는 시도이다.

자유인들의 SNS를 금지시키고, 증거없이 법적으로 구속하고, 소송을 통해 재정적인 압박을 지속적으로 가하고 있다. 아래는 관련된 세부내용이다.

- 2022년 08월21일, 앤드류 테이트는 모든 SNS(유튜브, 인스타그램, 페이스북, 트위터, 틱톡 등), 계좌사용 정지를 당했다.
  이는 표현의 자유가 문명화 된 이후로, 한 개인에게 펼쳐진 역대 최악의 통 제였다. 심지어 본인과 아무 상관없는 일반인이 영상을 게시해도 게시물 삭제 및 채널 경고 조치를 하였다.

- 2022년 12월29일, 앤드류테이트는 루마니아 경찰로부터 체포 당했다. 자발적 의사를 가진 여성을 데리고 웹캠 사업체를 운영한 것을 범죄집단이라고 하며 증거없이 구속시켰다. 구속 3개월 만에 가택연금으로 전환돼 조사를 받고 있다.

- 2022년 06월30일, 조던 피터슨의 트위터는 '엘리엇 페이지'에 대한 언급 후 정지 당했다.

- 2022년 11월부터, 조던 피터슨은 캐나다 온타리오 심리학 협회와 소송전을 벌였다.

온타리오 심리학 협회측은 피터슨에게 '특정한 지속적인 교육 또는 치료 프로그램'을 거치지 않으면 임상 심리학 면허를 박탈하겠다고 위협하였다.

- 2023년 8월23일, 온타리오 고등법원은 피터슨에게 온타리오 심리학 협회에 2만5천 달러 지급과 소셜 미디어 교육 프로그램을 거치라는 명령을 내렸다.

이 소송과정에서 피터슨은 '일론 머스크'에게 자신의 소송전에 참여할 것을 부탁했다. 소셜미디어 X(구 트위터)의 소유주인 일론 머스크는 과거 트위터에 게시된 콘텐츠로 인해 처벌 받은 사람들을 위해 지원할 것이라 말했기 때문이다.

이처럼 나는 자유인들의 행보를 찾아보고 있다. 그 이유는 이 자유인들이 살아야 표현의 자유가 지켜지기 때문이다. 강한 영향력을 가지고 있는 이들이 진다면, 일반인들은 너무 쉽게 질 수밖에 없다. 만약 표현의 자유가 없어진다면, 권력을 잡은 자의 마음대로 대중에게 진실을 가리고 조종하기 쉬운 세상이 올 것이다.

PC주의가 판치는 온라인 플랫폼 세상에 반기를 든 인물이 있었다. 그 인물이 바로 일론 머스크이다.

아버지 일론 머스크가 트위터를 사버린 이유

일론 머스크가 트위터를 인수하기 전, 트위터는 조작이 매우 심했다. 앞의 글처럼, 자유 성향을 지닌 사람의 계정을 멋대로 정지하였다. 또 사용자 계정이나 특정 콘텐츠를 차단하고 당사자는 알 수 없도록 하는 행위인 쉐도우 배닝(shadow banning)을 실시하였다.

일론 머스크 자서전에 현재 'X' 인 트위터를 사들이기로 결심한 이유가 있다. 머스크는 미국을 감염시키고 있다고 믿었던 이른바 깨어있는 마인드 바이러스(woke mind virus)의 위험성이 트위터 인수의 결정적인 요인이라고 하였다. 특히 트랜스젠더가 된 머스크 자신의 아이에 관한 충격이 크다.

머스크는 당시 16세였던 큰 아들 자비에(Xavier)의 성전환 결정에 의해 반워크(woke) 정서를 가지게 되었다. 큰 아들 '자비에' 는 트위터를 하더니 트랜스젠더가 되었고, 열렬한 마르크스 주의자에 공산주의자가 되버린 것이다. 또한 머스크는 트위터는 우익과 반체제적인 목소리를 억압하고 있다고 판단했다.

머스크가 트위터의 최고경영자(CEO)가 됨으로서 정보 공개를 요구했고, 확인결과 트위터에 중국 정부가 스파이를 심어 대대적인 조작을 가하고 있었다는 사실이 드러났다.

결국 일론 머스크는 자신의 아들이 트위터를 하더니 바르게 자라지 않고 엇나가니까, 그 위험성을 느끼고 아버지로서 아들을 지키기 위해 행동한 것이다.

그리고 일론 머스크가 트위터를 인수하고 조던 피터슨, 앤드류테이트, 트럼프 등 자유인에 대한 계정 정지가 풀렸다. 세상의 자유를 지키기 위해, 자유인들의 입을 막아버리는 시도를 저지한 것이다.

일론 머스크가 트위터를 인수한 사건은 그저 월가의 뉴스거리가 아니다. 편향적인 소셜미디어에 제대로 반기를 든 사건이라고 할 수 있다. 이를 통해 일론 머스크는 자식을 열렬히 사랑하는 아버지이자 용맹하게 자유를 지킨 기업가임을 알 수 있다.

세상에 못할 말은 없다. 못된 PC주의자는 있다

현재 표현의 자유는 PC주의에 의해 파괴되고 있다. '특정 집단이 불편해 할 가능성이 있기 때문'이라는 이유로 자유롭게 의견을 내기가 힘들다.

하지만 말이란 것은 기본적으로 누군가를 불편해 할 수 있는 특성을 내포하고 있다.

이것을 이해하기 쉽게 물건에 비유해보겠다. 물건의 대부분에는 모서리가 있다. 우리는 물건에 모서리가 있다고 해서 '반드시 다친다'고 생각하지 않는다. 모서리는 물건이 가지고 있는 특성이기 때문이다.

다칠 확률이 100%인 모서리를 가진 물건이 없듯이, 어떠한 의견이라고해서 100%의 확률로 사람을 위험하게 하지 않는다.

어떤 물건이라도 사람에게 세게 던지면 고통을 느끼듯이, 누구도 상처받지 않는 말이라는 것은 존재하지 않는다. 개인의 의견 일 뿐인데, 특정 집단에 정체성을 투영하는 것이 잘못된 것이다.

예를 들어 '우리 모두 사랑합시다' 라는 말을 하였을 때,

'지금 누구에게도 사랑받지 못하는 고아에게는 상처될 수 있어!' 라고 주장하는 식이다.

PC주의자들이 타인에게 발언 자체를 문제 삼는 것이야말로, 표현의 자유라는 기본 인권을 침해하는 제일 위험한 행위이다. 하지만 PC주의자들은 자신들이 내뱉는 말이 제일 위험한 물건인줄 모르고 있다. 아니 이해할 수 있는 수준이 안되는 것 일

수 있다.

PC주의자들은 그렇게 자신이 따르는 집단정체성을 제외한 특성에 대해 불만을 가지고 있다. '내 인생은 굉장히 불만족스러운데, 어디 화풀이 할 거리 없나?' 라는 생각을 하며, 불편을 찾아다니는 좀비라 할 수 있다.

어떤 특정 집단에게 불편하게 들릴 수 있는 말은 허용해야 한다. 예를 들어 '이민자는 가려받아야 한다' 라는 말에 이민자는 불쾌해 할 수 있다. 하지만 하나의 의견일 뿐이다. 혐오 또는 비하의 목적이 아니다.

특정 집단에게 불편한 말을 했기 때문에 말을 삼가해야 하는 것이 아니다. 항상 누군가 불편해하는 것을 고려한다면 우리 모두는 결국 아무말도 하지 못하게 될 것이다. 그게 바로 세상을 지배하려는 자들의 계략이다.

특정 주제에 대해 언급 자체를 꺼리게 만들어, 자발적으로 논의의 대상에서 벗어나도록 하는 것이다. 이는 앞서 말했던 '공론화' 와 정반대이다. 공론화 시키지 못하는 주제는 대중의 관심 속에서 벗어난다. 대중의 관심을 받지 못하면 힘을 얻지 못한다.

사람들이 언급하기 꺼려할수록 입 밖으로 내뱉어야 한다. 그래서 올바른 길을 갈 수 있도록 해야한다. 입 밖으로 내뱉지 않는 것은 곧 바른 길을 가려는 시도 자체를 막아버리는 것이다.

모두가 침묵하게 되어 결국 바르지 못한 길을 가도록 하는 것. 이것이 PC주의자들이 원하는 세상이다.

당신의 의견 표명을 막을 권리는 누구에게도 없다. 불편함을 강요하는 PC주의

자에 맞서, 자유롭게 발언하는 자유인이 되길 바란다. 잊지말자 세상에 못할 말은 없다. 못된 PC주의자가 있을 뿐이다.

대중이 날카로운 사람을 받아들이고 싶을 때

각자의 세대에서 감당해야 하는 과업이 있다고 생각한다. 우리 할머니, 할아버지 세대는 1960년대에 산업의 역군으로 노력하여 한국을 최빈국에서 벗어나게 해주었다. 덕분에 우리 세대에서의 굶주림을 면하게 해주었다. 조부모 세대들은 당신에게 주어진 과업을 해내어 큰 자부심으로 살아가고 있는 위대한 산업화 세대이다.

이를 이어 우리 2030세대가 감당해야 할 과업이 크게 3가지가 있다.

1. 특권을 누리고 있는 기득권을 해체시키는 일
2. 성역화를 하고 있는 집단을 와해시키는 일
3. 과거에 머물고 있는 구조를 고쳐 지속가능한 미래를 여는 일이다.

세부적으로 적으면 강한 의견피력이 될 수 있어, 여기에 적지는 못한다. 개인 자서전을 집필하게 되면 거기서 세부적으로 적겠다.

냉정하게 미래세대에게 한국은 희망이 없다. 옆나라 일본보다 훨씬 더 아프고 긴 지옥을 경험하게 될 것이다. 현재 한국 상황을 간단히 말하면 소비위축기이자, 경제수축기이며, 가계부채는 세계 최고수준이다. 초고령화사회에 저출산을 넘어 무출산 수준으로 노인부양부담이 극심해질 예정이다. 국내기업은 투자를 받지도 하지도 못하고, 민간 고용을 늘릴수도 없는 총체적 난국이다.

이런 상황임에도 기득권은 현상유지를 원할 것이다. 반대로 청년은 개혁을 원할 것이다. 민주주의는 다수결의 원칙을 따른다. 다수의 선이 소수의 악을 견제해야 하는 방향으로 설계되었는데, 다수가 악이라면 악이 국가를 통치하게 된다. 지금 청년세대는 기성세대보다 소수라는 것을 잊어서는 안된다.

그래서 우리 2030청춘남녀들끼리는 서로 싸울 때가 아니다. 서로 힘을 합쳐 잘못된 구조를 무너뜨릴 때이다. 과거와 달리 현재의 청년들은 잘 뭉치지도 않고 전투력도 너무 약해져 있다. 기득권들이 자기들이 권력을 잡았던, 똑같은 방식으로 빼앗기지 않기 위해 청년들, 특히 힘을 가진 젊은 남성을 약하게 만든 것이다.

기득권이 젊은 남성들을 탄압하는 이유는 젊은 남성들은 세상을 바꿀 수 있는 힘을 가지고 있기 때문이다. 이걸 알고 기득권은 청년남성의 단합력과 공격성을 다 거세시켰다.

특히, 남성의 성범죄와 결부시켜 남성성이 해롭다는 인식을 심었다. 범죄자가 범죄를 저지른 것인데, 청춘남녀들을 갈라치기 위해서 성별프레임을 씌운 것이다. 그런 방식으로 남성성을 가진 남자는 자연스럽게 배척되어갔다.

남성성은 나쁜 것이 아니다. 적극적이며 행동력 있고, 목표를 위해서 경쟁적이며 야망에 가득 차 있는 상태를 이르는 말이다. 남성성을 가진 사람이 적극적으로 행동하여 집단으로 뭉치게하고 결국에 세상을 바꿀 수 있다.

지금 대중은 '티 없이 맑고 착하며 유약한 영웅' 을 원하고 있다. 모든 과거가 깨끗하고, 인생에 작은 흠집도 없으며, 친족에 대한 어떠한 이슈도 없이, 비속어 한마디 안하고 오로지 소통만으로 문제를 해결할 수 있다고 믿는 영웅 아니 유니콘을 원하고 있다.

하지만 내가 정의하고 있는 영웅은 그 의미가 다르다. 나에게 영웅은 '시대가 원하는 것을 해낼 수 있는 역량과 용기를 갖춘 사람'이다. 활동하는 곳이 음지라서 사람들에게 알려지지 않더라도 사명으로서 해야할 일을 하는 자. 마치 베트맨처럼 말이다.

사람들에게 응원과 인정을 받으며 하는 일보다, 사람들에게 알려지지 않거나 무시당하더라도, 꿋꿋하게 혼자 활동하면서 묵묵하게 버티는 자가 더 강하고 멋있다고 생각한다. 그래서 나는 양지에서 박수 받는 영웅 보다, 음지에서 분투하는 베트맨이 되어야겠다고 생각했다.

그래서 나는 대중이 원하는 '착한 영웅'이 되기는 일찍 포기했다. 대신 내가 택한 방법은 내 스스로 광대가 되어, 어떤 개인적인 문제가 생기더라도 그게 나에게 논란거리가 되지 않을 정도로 쓰레기 이미지를 만드는 것.

이제 당신은 선택해야 한다. 함께 도모해서 바꾸던지, 각자도생으로 뿔뿔이 흩어지던지, 가만히 있다가 결국 맞고 무너지든지.

마무리 하겠다. 지금까지 나는 나의 소중한 지인에게 말하는 것처럼, 내가 보는 세상에 대해 말해주었다. 정확하게 알려주기 위해서 긴 시간 공부를 하였고 유튜브와 연설을 통해 다 전했다. 이 짓을 2020년부터 무려 4년을 꼴아박았다.

이 기간에 나는 돈 벌기는 커녕, 돈을 쓰기만 했다. 왜냐하면 나는 나 혼자 연명하는 것을 스스로 부끄럽게 여기기 때문에, 또 진실을 알고도 외면하는 것을 싫어하기 때문에 최대한 많이 퍼뜨리는 행위를 한 것이다. 비유하자면, 모두가 잠든 새벽에 불난 것을 발견하고 위층부터 밑층까지 현관문을 다 두드리며 깨우는 행동을 한 것이다.

나는 스스로 이렇게까지 했다고 생각하기에 자신에게 떳떳하고 자랑스럽다. 그래서 2024년에는 '핸우' 로서의 삶은 놓아주기로 했다. 가끔 내가 하고 싶을 때만 하는 정도로 유지하려고 한다.

나는 날카로운 사람이다. 내가 보기에 세상은 이미 날카로워졌는데, 아직 대중은 날카로운 사람을 받아들이지 않을만큼 여유로운가보다. 아니면 계속 날카롭지 않다고 믿으며, 생을 마감하고 싶어할지도 모른다.

나는 대중이 날카로운 사람을 받아들이고 싶어할 때, 만약 그때 내가 하고 싶다면 날뛰어보겠다.

축성과 수성 그 사이에서

겸

프롤로그

시작에 앞서 당부드리는 말씀은 여러분 모두가 인생이라는 아름답고 튼튼한 성의 성주라는 점을 깨달았으면 한다는 점이랍니다. 이 이야기의 끝에 제가 말하고자 하는 성을 이해하셨거나 그렇지 않더라도 여러분의 성에서 온전하고 행복하시길 바랍니다. 성을 튼튼하게 쌓아 아름답게 가꾸는 방법, 그리고 그 성을 잘 지키는 방법에 대한 저의 이야기해 보려고 합니다.

고대로부터 현대에 이르기까지 건축양식으로서의 성은 문명의 발전과 국가, 민족, 시대에 따라 다양한 양상으로 발전을 거듭했습니다. 그러나 아쉽게도 저는 건축학적인 성에 대한 이해와 지식은 아직 그리 깊지 않기에 저의 이야기를 듣고 호기심이 작게나마 생기셨다면 나무위키와 위키피디아에서 '성' 을 검색해보시기를 권하고, 책은 〈중세유럽 성채도시, 가이하쓰샤 作〉 를 추천 드리는데 이를 통해 여러분의 갈증을 해소하실 수 있을 거라고 기대해봅니다.

그럼 재밌게 읽어주세요.

1
~

나는 사람의 일생이 성을 쌓고, 가꾸며, 지키는 과정이라고 생각한다.
그 성은 만져지고 보일 수 있지만, 때론 눈에 보이지 않아
존재성만이 인정되는 성일 수도 있다.

사람을 볼 때마다 어느 성을 봅니다. 누군가는 이미 완성된 성에 살며 그 성으로부터 보호받는 것처럼 보일 때도 있고, 누군가는 성을 튼튼하고 아름답게 쌓아가는 과정에 있는 모습이 보이기도 했습니다. 다른 사람들을 성으로 바라보고 있자면, 제가 가진 성은 어떤 모습일까 생각하고 그러다 누군가에게 〈나의 성〉을 보러오라며 자랑하고 초대할 수 있을까 하는 생각에 이르기도 했죠. 사람에게서 성을 보는 저의 시점이 이렇게 재밌고 특별하게 자리 잡게 된 데에는 어린 시절의 기억이 한몫했던 것 같습니다.

저는 어린 시절부터 성인이 되기까지 충주라는 작은 도시에서도 변두리에 자리한 조용한 시골 마을에서 자랐습니다. 저의 집에는 제가 태어나던 해 심었다는 커다란 은행나무가 대문 앞에 우뚝 솟아있고, 빨간 벽돌집과 축사 – 지금도 아버지께서는 정성 들여 소를 키우고 계신답니다. – 농기구와 자재들을 보관하는 넓은 차양대까지를 둘러싼 돌담으로 이루어져 있죠. 유치원에 다니기 전까지 저는 할아버지의 자전거 뒤에 타고 끝이 보이지 않는 둑방길을 따라 논과 밭을 오가곤 했구요. 산과 들이 많은 동네였으니 저의 놀이터는 당연히 산과 들이었을 테죠. 어린 시절 커다란 은행나무와 넓은 담벼락 안의 집, 대문을 나서면 펼쳐진 드넓은 들판과 계절에 따라 푸르거나 울긋불긋하거나 흰색의 옷으로 갈아입었던 산에서 뛰놀던 추억들까지 지금 이렇게 제가 성을 좋아하게 된 것을 넘어 사람마다 각자 성을 쌓으며 가꾸고 지킨다고까지 생각하게 된 데에 대한 저의 첫 번째 인상이지 않았을까 합니다. 어릴 적부터 멋진 성을 가진 기사나 성주를 상상하며 자랄 수 있었던 운이 좋은 아이였던 거죠 저는.

2
~

몇 년이 흐른 뒤 대학의 졸업을 앞둔 2018년 1월, 머릿속 상상하던 역사적인 성들을 실제로 만나기 위해 혼자 배낭과 캐리어를 들고 한 달이 넘는 긴 시간 동안 유럽의 도시들을 걷고 또 걸었더랬죠.

저는 밖에서 뛰노는 것을 참 좋아하는 아이였지만, 책 읽는 것도 정말 좋아했습니다. 저희 부모님께선 대학 시절 CC로 만나셨는데, 문학커플이라는 별명을 가지셨을 만큼 두 분 모두 책을 좋아하셨다고 합니다. 대학의 총 학생회장으로 학생운동을 이끄셨던 아버지께서는 대학시절 신춘문예에 도전하셨을 만큼 글쓰기를 좋아하셨고, 어머니께서는 제가 어린 시절 국어국문학과로 공부를 더 하시고는 결국 수필가로 등단까지 하셨습니다. 그런 두 분 덕분에 저도 조정래 선생님의 태백산맥과 한강 같은 대하소설을 읽으며 밤을 새우기도 하고, 일찍부터 글을 쓰며 지내는 취미 갖게 되었습니다. 그러나 제가 결정적으로 성이라는 건축물을 좋아하고, 매료되어 결국 지금 이렇게 성에 대한 글까지 쓰게 되는 중요한 사건을 마주하게 됩니다.

그건 바로 제가 책을 읽다가 판타지라는 장르를 접하게 되었다는 것이랍니다.

중학교에 다닐 시절은 제가 혼자 도서관과 학원에 다니기 시작한 시기였고 그와 동시에 부모님 모르게 도서관에 다녀오는 척 훌쩍 버스와 기차를 타고 여행을 다니기 시작한 시기이기도 합니다. 여행의 이야기는 일단 접어두고 책에 관한 이야기를 더 이어가면 저는 시립도서관에서 읽을 책을 찾으려 현대소설 서가를 둘러보던 중 홍정훈 작가님의 '더 로그'라는 판타지 소설을 읽게 되었습니다. 그 책은 태백산맥 못지않은 대하소설로 1권의 첫 장부터 13권 완결까지 독자를 빨아들이는 블랙홀 같은 매력을 가진 책이었습니다. 그 책을 본 뒤 저는 같은 서가의 다른 판타지 소설들을 섭렵하기 시작했고, 판타지의 세계관에 빠져들었습니다. 맛있는 음식을 눈앞에 두었을 때 침이 고인다는 표현을 쓰는 것처럼, 당시의 저는 판타지 소설에 침이 고인다는 느낌을 계속 받았고, 거기에 더해 영화 '반지의 제왕 시리즈' 도 몇 번을 다시 보고 책과 영화로 '나니아 연대기' 도 독파하였죠. 그러면서 더 나아가 저는 이런 판타지의 세계관이 어디에서 어떻게 창작이 되었는지, 어떤 사실과 사건들이 배경이 되어 픽션을 가미해 이런 작품들이 탄생하게 되었는지 궁금해지기 시작했습니다. 여러 책을 보면서 인물과 사건, 원인과 결말을 이해하는 방법이 훈련되어 공부에서는 사회과목과 역사과목을 특히나 좋아하고 열심히 하는 결과를 얻었으니 판타지 세계관의 역사에도 관심을 두는 것은 자연스러운 일이었을 지도 모르겠습니다. 그래서 저는 눈을 유럽의 역사로 돌렸고, 거기서 로마제국의 흥망성쇠와 합스부르크 가문, 황제와 귀족들, 교황과 대주교들의 존재에서 결국 알게 되었습니다. 판타지 세계관은 고대와 중세, 르네상스 시대에 배경을 두고 창작되었다는 것을 말이죠. 그리고 저는 그 역사 속 중심에 성이 있었고, 그 성들은 국가와 시대를 초월해 현대에 이르기까지 왕과 귀족들의 암투, 음유시인의 노래까지 간직한 채 그 자리를 계속 지키고 있다는 사실로 성에 매료되었던 것이죠.

몇 년이 흐른 뒤 대학의 졸업을 앞둔 2018년 1월, 머릿속 상상하던 역사적인 성들을 실제로 만나기 위해 혼자 배낭과 캐리어를 들고 한 달이 넘는 긴 시간 동안 유럽의 도시들을 걷고 또 걸었더랬죠.

3
~

사람의 마음을 이야기할 때 주로 등장하는 단어는 벽과 문입니다.

마음의 문을 연다는 것은 상대방의 방문을 허락한다는 의미일 것이고

마음의 벽이 높은 사람에게는 그만큼의 시간과 배려가 필요할 거예요.

마치 성처럼 문과 벽이 있는 존재.

제가 사람에게서 성을 보는 일은 어쩌면 자연스러운 일이었는지도 모르겠어요.

'적을 막기 위하여 흙이나 돌 따위로 높이 쌓아 만든 담. 또는 그런 담으로 둘러싼 구역', '시대와 지역, 용도에 따라 축성 양식은 매우 다양하다.' 국어사전과 백과사전에서 성을 찾으면 이렇다고 합니다.

성을 말할 때 영어는 'Castle', 'Palace' 이 두 단어로 쓰입니다. 전자는 성벽을 가진 방어목적의 성과 성채도시를 뜻하고, 후자는 궁성으로 왕이나 귀족의 생활공간으로서의 성(궁)을 의미합니다. 우리나라로 예를 든다면, 전자는 남한산성이나 해미읍성, 서울에 유적으로 남은 한양도성이 해당될 것이고, 후자는 경복궁이 적절한 예가 될 것 같습니다. 저의 이야기에서 말하는 성은 주로 'Castle'을 뜻하니 성벽과 성문을 가진 반지의 제왕의 <미나스티리스>나 숭례문, 흥인지문 등의 성문과 낙산성곽길 같은 성벽이 온전했을 한양도성 떠올려주시면 저의 이야기가 잘 이해가 되실거라고 생각합니다.

성은 모양과 쌓는 방식. 성을 만든 재료들까지 시대에 따라서나 국가와 민족에 따라서 차이를 보입니다. 그리고 중세에는 성의 위치와 규모, 전략적 가치에 따라 그에 걸 맞는 작위도 주어졌다고 하죠. 체코의 체스키크룸로프와 같은 변두리 작은 마을에 성을 가진 자는 남작, 밀라노처럼 비옥하고 많은 사람을 아우르는 큰 도시에 성을 가진 자는 공작의 작위를 하사 받았던 것처럼 말입니다.

각각의 성마다 가진 각양각색의 매력과 가치가 다를 것이겠지만 모든 성이 다

완성되기 전까지는 어떤 매력과 가치를 가졌는지 알 수 없었겠죠. 우리는 완성된 성을 보고 그 성에 얽힌 이야기와 그 성이 쌓인 시대, 문화적 배경과 사회적 배경, 그 성이 가지는 정치적·군사적 가치를 가늠합니다. 성이 쌓이기까지 들인 노동력과 비용, 성이 존재하기 전과 후 그 지역의 정치적·군사적 상황의 변화 같은 것을 생각해 보는 데에는 저도 성을 좋아한 지 꽤나 오랜 시간이 흐른 뒤였답니다.

성을 쌓는 것을 '축성'(築城)이라고 부르는데 전략적 요충지에서 공격과 방어에 용이해야하고 자연과 지형지물, 재료와 규모까지 고려할 요소를 꼽자면 굉장히 전문적인 작업과 노동이 필요하다고 합니다. 거기에 성주의 권위와 그 지역의 문화적 배경, 당시 유행하는 미학적인 요소까지 가미되어 쌓을 것이니 현대에 이르러도 도시발전이나 개발과 맞물렸을 때 훼손되거나 파괴되지 않고 역사적 · 문화적 · 예술적 가치를 인정받아 복원되거나 보존되는 것은 어쩌면 당연한 일일 수도 있습니다.

이렇듯 '축성'은 성의 존재성에 시작이라는 의미를 부여하는 아주 중요한 과정입니다.

제 주변을 둘러 저를 지키는 성도 이런 '축성'의 과정들을 거쳐 쌓였지 않은가 하고 생각해봅니다. 어느 장소에서 무엇으로부터 저를 지킬 것이고 어떤 재료를 골라 어느 양식의 성을 완성하게 될지 그건 저도 아직 알아가는 중이에요.

4
~

성을 쌓을 재료를 고를 때면, 경험적으로 가장 튼튼하고 단단하며 구하기 쉬운 재료를 선정했을 테죠. 우리 각자의 성도 마찬가지입니다. 경험적으로 가장 좋은 것, 자신의 삶 전반에 걸쳐 쉽게 찾을 수 있는 것들을 재료로 삼으면 돼요.
저의 그 재료 중 하나는 다정함이었습니다.

성을 쌓을 때 무너지기를 바라고 쌓기를 시작하거나 그런 결과를 얻고자 하는 사람은 없을 겁니다. 누군가에 의한 파괴와 침입을 막기 위해 쌓는 성이니만큼 가능한 가장 강하고 튼튼하게 짓겠죠. 저도 다르지 않았습니다. 성을 쌓을 때면 외부에서 저를 해치려하는 다양한 위협들 – 제가 가진 것들에 대한 무가치함이나 부정, 저 자신에 대한 비난이나 제가 가진 것들을 노리는 누군가 – 로부터 저를 잘 지켜낼 수 있기를 바라요. 저의 성에 제가 주로 재료로 삼은 것은 행복했던 어린 시절에 대한 기억들이었습니다. 할아버지와 함께 자전거를 타고 달린 해 질 녘 둑방길, 금빛으로 영그는 벼와 노을을 마주했던 기억, 또 가족 간에 대화를 단절시킨다며 거실의 TV를 없애고 TV를 향해 둔 소파를 마주 보도록 옮기신 부모님 덕분에 TV보다 책을 가까이하고, 마주 보고 앉아 책 얘기와 서로의 일상에 더욱 관심을 갖고 대화하면서 커진 인간과 세상에 대한 폭넓고 깊은 이해의 방식들. 그리고 더 나아가 글을 쓰고 여행을 다니며 사진을 찍었던 학창시절의 기억들 모두 제게 다정함이라는 재료로 버무려진 게 아닐까 합니다. 가득 차고 넘치게 느낀 어린 시절의 행복한 기억들로 이루어진 이 다정함은 지금까지도 제 삶의 전반에 걸쳐 가장 흔하지만, 빛나고, 단단하며, 튼튼한, 그야말로 성을 쌓기에는 최고의 재료랍니다.

5
~

자신만의 성을 쌓다가 문득 이 성이 나를 위한 성 인지, 내가 아닌 다른 누군가에 의해 쌓여지고 있는 그의 성 인지 알 수 없을 때가 있어요. 만약 정말 그런 생각이 든다면, 잠시 멈추고 성을 천천히 돌아보기로 해요. 그 성은 여러분이 살아가야할 성. 성주가 될 여러분을 잘 지키고 여러분을 잘 표현할 수 있는지를 잘 살펴보고 다시 지어가면 돼요.

어느 날에는 카메라를 들고 길을 나서 사람마다 가진 각자의 성을 관찰하다 문득 성의 모습을 갖추는 사람과 마주할 때면 그 사람이 완성하게 될 성을 기대하게 될 때가 있습니다. 누군가는 성을 완성하기까지 순탄하고 매끄러울 수도 있겠죠. 그러나 이번 생은 모두가 처음이니 때때로 시행착오와 실수를 하며 더디지만 꼼꼼하게 성을 쌓아가는 분이 있다면, 분명 그분은 튼튼하고 마음에 쏙 드는 자신만의 성을 완성하게 될 거라고 믿어 의심치 않아요.

제가 성을 쌓아가는 과정에는 사진과 글이 함께합니다. 혼자 사색하는 시간 속에서 떠오르는 고민과 걱정, 생각들이 그 시간이 지나고 난 뒤에 제가 기억을 못 한다면 사라져버리는 것 같아 안타깝고 아쉬웠죠. 그래서 어느 분위기, 떠오르는 걱정과 고민, 영감을 주는 풍경이나 행복을 느끼게 한 순간들을 사진에 담고, 글을 쓰기 시작했습니다.

또 저는 학창시절부터 혼자 여행을 다니기 시작했어요. 친구와 부모님, 선생님 그 누구에게도 세상을 살아감이 성을 쌓는 것과 같다고, 어떻게 하면 더 잘할 수 있겠냐고 물어볼 수 없었죠. 그러니 그 고민은 오롯이 혼자 사색하고 고민하는 시간 속에서 감당해나가야 했습니다.

저의 부모님은 그 당시 저의 여행을 잘 모르셨으니, 저의 여행을 달리 말하면 귀환이 분명한 비행이나 일탈, 가출일 수도 있겠군요. 집에서 노트와 책, 펜이 든 가방을 메고 도서관을 가는 척 나와 이름이 생소한 도시로 향하는 버스와 기차를 타고 떠나온 도시에서 여행자가 되어 골목과 거리를 걸으며 일상을 보내는 사람들을 관찰하고, 제가 살던 도시와는 다른 특징을 발견하는 것에 흥미로워했습니다. 하루에 두어 번 기차가 서는 간이역을 가진 작은 도시와 시외버스가 끊이질 않는 발전 중인 도시, 각각의 도시가 간직한 시대가 다르고, 흐르는 시간이 다르다며 노트와 책에 기록하며 사진을 찍기 시작했구요, 집에서 찾은 먼지 쌓인 필름카메라를 들고 여행을 다니길 계속했는데, 그때 제 지갑과 일기장에 적어둔 기록과 꽂아둔 기차표, 사진들은 부모님께는 비밀이에요.

이 세상에 존재하는 기억과 추억의 공통점은 과거의 사건이라는 점과 당사자인 사람에 의해 그 가치와 의미가 부여된다는 점이라고 생각해요. 아무도 기억하고 추억하지 않는 과거의 사건이라면 과연 어떤 의미와 가치가 있을 것이며, 끝내는 잊히고 사라지지 않을까 합니다.

이 생각이 제게는 앞으로도 계속 사진을 찍고 글을 쓰게 하는 원동력일 거에요. 이 세상에 제가 겪은 일과 그 이야기, 제가 바라본 풍경과 저와 누군가의 순간들을 아무도 추억하지 않고, 기억하지 않아 없던 일로 되돌려버려도 저만큼은 잘 간직하며 살아가고 싶어요. 누군가는 그 추억에도 망각의 안식이 필요할지 모른다고 말할 수도 있겠죠. 그런데 저는 분명히 존재했던 과거의 시간이 파편으로 반짝이는 걸 본 뒤로 차마 버릴 수 없었거든요. 저의 성에는 그래서 반짝이는 시간의 파편들이 곳곳에 박혀 반짝이길 바랍니다.

6

~

저에게 친구를 정의해보라고 한다면 이렇게 말해줄 거에요. 집에 두 개의 방이 있는데 그중 한 개의 방을 내어주고 거기에 어떤 취향의 방을 꾸미든 존중하고 인정할 수 있는 존재. 상대방을 안다고 단정 짓지 않고 서로가 서로에게 이런 깊은 존중과 배려, 이해하려는 노력을 멈추지 않을 수 있다면. 그런 친구에게라면 저는 제가 가진 모든 걸 내어주겠어요. 그게 설령 저에게 남은 한 개의 방일지라도.

제게는 유군이라고 부르는 친구가 한 명 있습니다. 그 친구의 이름은 유명했던 군대드라마의 주인공과 같아요. 제가 20살이 되는 해, 같은 길을 가고자 하는 서툰 신입생으로 만나 오늘에 오기까지 9년이라는 시간 동안 서로 배려하고 존중하며 지냈고 이해하려는 노력을 멈추지 않았죠, 대학 시절에는 4년을 꼭 붙어 같이 다녔고, 졸업한 뒤론 떨어져 마음으로 서로 응원했답니다.

그리고 그가 결혼하는 날, 저는 새로운 것을 알게 되었어요. 대학 시절 저보다 키도 크고 외모도 훨씬 준수하고 많은 면에서 저는 그를 저보다 낫다고 평가했죠. 그 중에 특히 부러웠던 점은 늘 주변에 평판과 인기가 좋아서 늘 친구가 많았던 점이었습니다. 저는 이제 와 솔직히 고백하자면 [그에게 저도] 과연 [저에게 그처럼] 특별할까 하는 의문과 늘 줄다리기하며 지냈죠. 그가 이 사실을 알게 된다면 저를 나무라겠구나 싶지만 이건 제게는 꽤 큰 고민거리였어요. 비슷한 점이 참 많았는데 단정하고 깔끔하게 꾸민 옷차림과 머리스타일을 좋아하는 점, 친절하고 다정한 사람이고 싶어 한다는 점이 우리를 서로 끌리게 하였지만 그 부분이 저를 그와 함께 있을 때면 때때로 작아지게 만들었거든요.

저의 생일 전날, 그는 책을 추천해달라며 약속을 잡았고 우리는 광화문 교보문고에서 만났습니다. 제가 좋아하는 장소이고 언젠가 제 책이 출판된다면, 어느 작가처럼 광화문 교보문고에 잠행하며 제 책을 사람들이 어떻게 평하는지 엿듣겠다는 상상을 했더랬죠. 그는 승무원이 되는 꿈을 준비하고 있기에 <아무 날의 비행일지, 오

수영 作> 라는 책을 추천했습니다. 승무원이며 작가이기도 한 그 책의 저자는 비행기를 온실, 탑승객을 식물, 승무원은 그 온실 속 식물들을 가꾸듯 승객들이 안전하게 목적지에 도달하도록 조율하는 사람으로 비유했는데 제 친구가 정말 잘할 것 같은 일이라고 생각해요. 그의 꿈을 진심으로 응원하는 마음과 이 책이 그의 마음에 자리 잡히길 바라며 추천했답니다. 그런데 그가 저에게도 책을 골라보라더군요. 제게도 책을 추천해주고 싶은데 뭘 골라야 할지 모른다며. 제 생일이니까 생일선물을 사주겠다는 말과 함께. 그날 가장 먼저 축하받고 싶었던 그에게 생일을 축하받았어요.

어느 날, 지금 어디있고 바쁘냐며 상기된 목소리로 전화를 건 그는 제게 아내가 모임에 가서 늦을 거라는 말과 함께 자신은 이제 자유라고 말했죠. 저는 오늘이 너의 광복절이냐며 흔쾌히 만나 추억과 요즘의 근황을 나누었구요. 저는 이런 일이 자주 있기를 바랍니다.

그가 결혼식을 하는 날, 새벽부터 샵에 가 단장을 하면서 떨린다는 그 친구의 연락에 저는 금방 갈 테니 조금만 기다리라고 했죠. 두 집안의 어른들이 많이 자리를 채웠고 친구나 직장동료들은 그리 많지 않았어요. 저의 동생이나 다름없는 그의 동생이 이야기 해주더군요. 와주어 고맙다는 말과 함께 직접 만나 청첩장을 받지 않았느냐고 말이에요. 제 친구는 축하받고 싶은 친구에게 밥을 사주며 청첩장을 주고 초대하고 싶다고 입버릇처럼 말하며 결혼을 준비했다고 해요. 그리고 결혼식에 친구로 자리를 지킨 사람은 다섯 손가락에 꼽았죠. 평소 친절하고 단정한 그에게 많은 친구가 있었을 것이나, 저처럼 그도 가장 축하받고 싶은 날을 먼저 알리고 떨리는 속마음을 털어놓을 친구가 저였다는 걸 그때 깨달은 거에요. 그리고 저는 9년이라는 시간동안 그를 제대로 알지 못했다는 사실을 인정함과 동시에 앞으로도 저는 그를 잘 모를 수도 있으니 매 순간 그를 더 잘 알기 위한 노력을 멈추지 않을 거라고 다짐했답니다.

사람들은 때때로 가까운 상대일수록 친한 친구일수록 상대를 다 안다고 장담하곤 하는 것 같아요. 이 세상에 자기 자신을 다 아는 사람이 없고 사람만큼이나 다채롭고 모순적인 존재가 없는걸요. 그러니 우리는 흐르는 시간과 시시각각 마주하는 모든 상황 속에서 앞에 마주한 상대를 다 안다고 속단하지 않고, 잘 모를 수 있음을 인정하며, 이해하고 알아가려는 노력을 멈추지 말아야 하지 않을까요. 저는 그런 사람들이 많아져 사람들이 서로에게 위로받고 인정받으며 덜 외롭고 행복하길 바라요.

7
~

긴 시간과 노력으로 끝끝내 성을 쌓은 사람이라면 그 성이 얼마나 소중할까요.
그 소중함을 잊지 않고 잃지 않기로 해요. 자신의 성은 스스로 지켜야 하니.

제가 이야기하고 있는 성은 누군가에게는 일구어낸 회사일 수도 있고, 삶의 가치관이나 명예, 집이나 재산, 명성, 지식과 지혜 등이 모두 해당될 수 있을 것 같아요. 이제 와 직접 나열하는 이유는 '수성'을 설명하고자 하기 때문이랍니다. 수성(守城)은 전투방식에서 소유한 성을 지킨다는 의미를 담고 있어요. 다른 한자를 사용하는 수성(守成)은 조상이 이룩한 것들을 지켜나감이라는 의미로 쓰인답니다. 옛이야기를 덧붙여 설명하자면 전자는 우리나라의 역사 속 고구려가 특히 수성의 대가로 알려져 있어요. 중원에서 쳐들어오는 수십만의 대군을 요동성과 안시성에서 1/10 또는 그보다 적은 병력으로 맞서 싸워 승리로 이끌었던 빛나는 역사를 우리는 모두 배운 적이 있을 거에요. 후자는 창업수성(創業守成)이라는 고사성어를 풀어보면 알 수 있어요. 건국하는 것보다 지켜내는 것이 어렵다는 뜻으로, 현대에도 통용되는 가르침이랍니다.

이렇듯 '수성'이라는 단어에 담긴 두 가지 뜻 모두가 '지키다'라는 의미를 담고 있어요. 무언가를 지킬 때는 그 대상과 목적이 명확해야 하고 무엇으로부터 지킬 것인지 까지 알고 있어야 어떻게 지킬 것인지의 방법을 구체적으로 고민해볼 수 있겠죠. 앞서 말한 '성'의 다양한 존재성에 따라 다른 수성의 방식을 필요로 하게 될 거에요.

저는 수성에 실패한 경험이 있답니다. 저의 성은 다정함을 재료로 쌓았죠.

제게 다가오는 사람이면 그 사람의 의도나 목적을 크게 개의치 않았습니다. 사람은 누구나 가치 있는 존재이며 선량할 것이라는 저의 생각에 따라 조금의 경계심도 없이 성에 들였구요. 그러다 의도가 선량하지 못한 사람과 마주할 때면 한동안 후유증을 앓았죠. 그렇게 저보다 타인을 더욱 가치 있고 소중하게 바라보고, 스스로의 자존감을 희미하게 만들어 저는 성에 우울함을 채웠었던 시절이 있습니다. 타인에 대한 다정하고 이타적인 마음이 저의 성을 누구에게나 활짝 열어두었고, 다가오는 사람이 반가운 손님이든 저를 해치려는 적이나 도둑이든 상관없이 성에 들어와 휘젓도록 방치하며 저는 저를 제대로 지키지 못했죠.

수성에는 아군과 적군을 판단하고 경계할 병사들이 필요하고, 때에 따라 성문을 닫아걸고 수성전을 해야 하기도 할 거에요. 수성을 잘 하는 방법이라면 타인만큼이나 자신을 소중히 여기는 마음과 함께 스스로를 지킬 용기를 내어야 합니다. 용기는 Rock&rock 용기만큼이나 작은 용기여도 충분해요.

8
~

우리는 모두가 이 세상에 여행 온 존재. 언제가 결국 어딘가로 돌아가야 할 운명의 질서를 받아들이는 단단함까지 저는 여행을 통해 깨달아가는 중이랍니다.

드디어 여행에 관한 이야기를 제대로 시작하게 되었군요. 정말 많은 사람이 여행을 취미로 꼽고, 해마다 국내 외의 아름다운 장소와 맛있는 음식들을 찾아 여행을 떠나요. 그들 모두 각자의 방법으로 여행을 즐기고, 그 안에서 그들만의 의미를 찾아가겠죠. 여행을 떠날 때면 그 모습들을 볼 때마다 빛나 보였어요.

제게도 여행은 다양하고 많은 의미들을 동반했습니다. 가장 기억에 남는 여행 첫 번째는 고등학교 시절 가방에 카메라와 노트, 이병률 시인의 시집 한 권을 챙겨 기차를 타고 경북 군위의 화본이라는 작은 마을로 떠난 여행이었어요. 당시 하루에 2번 기차가 정차하는 간이역이었던 화본역에는 작은 역전 시장과 마을로 이루어졌던 곳이었죠. 거기서 하룻밤을 보내며 사과를 수확하는 주민분을 관찰하고, 책을 읽다가 떠오른 생각을 글로 적었던 게 기억이 나요.

'여행을 떠난 뒤에는 결국 돌아가게 된다. 집이든 기다리는 사람이 있는 곳이든' 그때 썼던 글 일부에요.

그리고 두 번째는 저는 대학교 졸업식을 앞둔 겨울방학 동안 유럽으로 여행을 떠날 계획을 세웠고 4달에 걸친 준비를 했었죠. 준비의 첫 번째는 4학년 2학기 동안 최소학점인 6학점(2과목)을 신청한 뒤 일주일 중 2일은 학교에 가 수업을 듣고 5일 동안 일을 하는 것이었고, 두 번째는 학기가 끝난 뒤에 일을 그만두고 여행 가 둘러볼 국가와 도시에 대한 전반적인 배경지식을 쌓고 여행경로와 숙박 등을 준비하는 것이었답니다. 이 계획대로 되어 3개월 간 여행경비를 마련했고 여행할 국가와 도시에 대해 촬영한 <세계테마기행>, <걸어서 세계 속으로>를 찾아보고, 영화로는 <냉정과 열정 사이>, <미드나잇 인 파리>, <비포선라이즈>, <글루미아이즈>, <일루셔니스트>, <로마의 휴일> 등 수십 편의 영화를 목록화해서 감상했죠. 당시 시험기간에만 한시적으로 24시간 운영했던 학교 앞 투썸플레이스는 공부하는 학생들로 붐볐고 그 중 저의 행보가 눈에 띄었는지 작은 해프닝도 있었답니다.

제가 그 학기에 신청했던 2과목 모두 기말고사를 보지 않았는데 당시 저는 카페에 한 자리를 차지해 하루 24시간 중 20시간을 앉아 여행 준비를 했어요. <서양미술사>, <전쟁사>, <유럽 문화와 예술> 등의 서적, 프린트한 유럽에 대한 정보들을 쌓아두고 마치 시험공부 하듯 자료조사와 여행계획 수립을 이어갔는데 카페에서 공부하며 며칠 저를 관찰하셨던 어느 용기있는 분이 말을 걸어왔어요. 도대체 어떤 과목의 시험공부이길래 이렇게 많은 책을 쌓아두고 카페에서 자리를 비우지도 않고 시험공부를 하느냐는 물음이었는데, 알려주면 그 과목의 수업과 교수님은 반드시 피하겠다는 것이었죠. 저는 기말고사를 보지 않는다는 대답으로 그분을 놀라게 했고, 이 책과 자료들을 보고 있는 이유가 한 달 뒤에 혼자 유럽으로 여행을 떠난다는 말로 그분과 카페에 공부하던 다른 분들의 부러움을 한몸에 샀었답니다. 그렇게 유럽으로 떠나 마주한 풍경과 순간들은 저의 머리와 가슴에 고스란히 담겼구요.

저는 여행을 떠날 때 자세하고 철저하게 준비를 하는 편이 아니랍니다. 언제든 훌쩍 떠날 수 있는 게 여행이라고 생각하는 사람이죠. 다만 여행을 떠날 때 여행 짐을 챙기며 고민이나 생각, 일상이나 상황 속 돌아온 뒤에 달라질 수 있는 것과 변치 않는 것들을 구분하고 정리하는 시간을 가져요. 여행 중에는 온전히 저에게 집중하며 매일 아침에 일어나 맛있는 밥을 먹고, 매 순간 세상을 관찰하며 걷거나 사진을 찍고 사색하기에 부지런하고요. 그러다 여행에서 돌아올 시간이 되면 여행의 끝에 대해 언제나 여지없이 아쉬워하는 것이죠. 여행에서 무엇인가를 얻고자 하거나 고민을 해결해보겠다며 노력을 해본 적도 없지 않지만, 어차피 여행의 끝에는 언제나 아쉬움과 함께 돌아왔기 때문에 시간을 잘 보내기에 더욱 집중하고 열심히였는가 봐요.

그래서 제게 여행은 단단함과 질서로 통할 것 같습니다. 성벽의 완성을 좌우하는 것이 바로 벽돌의 가지런한 배열과 질서를 통해서 구현될 단단함이겠죠. 여행을 떠난 뒤 결국 돌아와야만 한다는 규칙과 여행에 가기 전 필요한 짐을 챙겼다면 돌아온 뒤엔 짐들을 다시 제 자리로 돌려놓는 정리의 과정들까지 모두 무질서하게 느꼈던 일상과는 다른 질서를 깨닫게 했죠.

그리고 우리는 모두가 이 세상에 여행 온 존재. 언제가 결국 어딘가로 돌아가야 할 운명의 질서를 받아들이는 단단함까지 저는 여행을 통해 깨달아가는 중이랍니다.

9
~

이 세상에 존재하는 것 중 제자리에서 오랜 시간 변치 않는 것들은 마치 그릇처럼 시간을 담아 바라만 봐도 고즈넉함을 느끼게 하고 그래서 저는 성을 찾아갈 때면 온전히 시간의 흐름에 몸을 맡깁니다. 바람, 구름, 들풀과 나무, 그리고 오래도록 튼튼한 성벽의 촉감을 느끼며.

튼튼하고 거대한 건축물인 성은 한 사람이나 한 세대만을 위해 짓지 않습니다. 오랜 시간 동안 그 자리에서 자신의 가족과 그 후손들뿐만 아니라 자신을 따르는 수많은 영지민들과 그의 후손들까지 그 성에서 안전하고 온전하게 살아가길 바라는 마음이 결국 그 성을 존재하게 만들죠. 결국, 성은 쌓은 사람으로부터 남겨질 존재들까지 그 안에서 안온하길 바라는 염원이 담긴 건축물인 셈이에요.

저의 성도 다르지 않기를 바라요. 지금 저와 함께하는 소중한 사람들에게 튼튼한 안정감을 줄 수 있기를, 제가 이 세상을 떠난 뒤에 남겨질 존재들에게까지도 저의 성이 제 역할을 다 해주기를 바라죠. 여러분이 쌓은 성도 다르지 않을 거라고 생각합니다.

자신만의 성이 아닌 거죠. 그러니 오랜 시간이 지나도 변치 않을 수 있는 것 중 아름답고 빛나는 것들로 성을 가꾸고 채워나가기를 바라요. 남겨질 존재들이 그 성을 바라보고 거닐며 축성하고 수성하며 살아간 여러분의 삶을 기억할 수 있도록.

에필로그

여기까지 이야기를 이만 마쳐볼까 합니다. 저는 언젠가 혼자 동해 속초로 여행을 다녀온 적이 있답니다. 그 여행 동안 원 없이 겨울바다를 보았고 매일 서점을 바꿔가며 한동안 시간을 보냈죠. 속초에는 〈문우당서림〉, 〈동아서점〉, 〈완벽한 날들〉과 같은 예쁘고 특색 있는 서점들이 많이 있는데 여러분도 속초로 서점여행을 떠나보시길 추천할게요. 저는 그 중 메리 올리버 시인의 산문집과 이름이 같은 〈완벽한 날들〉서점에서 책〈완벽한 날들〉을 읽게 되었습니다. 그 책의 서문에 메리 올리버 시인은 "산문은 산문 나름의, 시는 시 나름의 힘을 갖고 있다. ~ 시는 그보다 덜 조심스럽고, 시의 목소리는 홀로 남는다. ~ 산문 작업과 시 작업은 심장박동 속도가 다르다. 둘 중 하나가 나머지 것보다 느낌이 더 좋다." 라고 했는데 어찌나 공감되었는지 몰라요. 흰 종이 위에 글을 쓰며 저의 문장과 마주하는 일은 언제나 막막하고 어려운 일이었지만 저도 시는 쓰는 일에서 때때로 위로를 받았고 힘을 낼 수 있었거든요. 이 성에 관한 이야기를 쓰게 된 계기도 저의 어느 시에서 시작하게 되었답니다. 저의 이야기를 듣고 여러분 모두 아름다운 성을 가진 멋진 성주가 되셨기를, 그리하여 그 성에 저를 초대하는 초대장을 보내주시길 기다릴게요. 그럼 모두 안녕히, 저는 이만.

스포르체스코 성, 밀라노, 이탈리아

나한테만 머물고 싶지 않은 이야기

발행 | 2024년 1월 29일
저자 | 거북이, 예림, 임수경, 이가흔, 김승준, 아름한, 소양, 서대웅, 핸우, 겸
펴낸이 | 이창현
디자인 | 비파디자인
펴낸곳 | 고유
출판사 등록 | 2022.12.12 (제2022-000324호)
주소 | 서울특별시 마포구 와우산로3길 29 2층
전화 | 070-8065-1541
이메일 | goyoopub@naver.com

ISBN | 979-11-93697-03-0 (03810)

www.goyoopub.com